［改訂新版］ Irritable Bowel Syndrome

IBSを（過敏性腸症候群 かびんせいちょうしょうこうぐん）治す本

国立病院機構
久里浜医療センター
内視鏡部長
水上健 著
Mizukami Takeshi

法研

はじめに

「ＩＢＳを治す本」が発刊されて8年、嬉しいことに「この本の通りにやったらよくなりました」と患者さんがご報告にわざわざ久里浜まで受診してくださることもしばしばです。

改訂新版を発刊するに当たり、新しい薬、診断基準、食事療法の記載を追加しましたが、初版での取り組みに間違いはなかったことを改めて確信しました。

この本を手に取ってくださった方は、腹痛に伴う下痢や便秘、過敏性腸症候群「ＩＢＳ」の症状に悩まされていることと思います。

ＩＢＳの症状は生活の質を著しく落とし、本人にとってきわめて深刻なのに、周囲の人の理解を得られないという、とても辛いものです。

医療者側からも「命にかかわる病気ではない」と理解されず、「メンタルの問題」と片付けられてしまった挙句、良くならないことがしばしばあるのも現状だと思います。

ＩＢＳは患者さんとその周囲、医療者間で捉え方に大きなギャップがある病気です。

かく言う私も、以前はあまり興味がありませんでした。私はもともと内視鏡検査が専門で、大腸内視鏡検査を簡単に、患者さんにとって負担なく行うため、「浸水法」という方法を開発しました。この方法だと、どんな患者さんでも内視鏡がスルリと大腸の中に入るようになる……はずだったのですが、そこに立ちはだかったのがＩＢＳ患者さんの腸でした。それはなぜか。それこそが、私とＩＢＳの出会いでした。

実は以前からＩＢＳや便秘は検査が難しく、痛みが強い患者さんたちとされています。私は検査の際に麻酔を使わないので検査中に患者さんとお話しできるのですが、内視鏡が難しい患者さんのほとんどが便秘や下痢で悩んでいる、またはその経験がありました。

内視鏡検査で異常がないＩＢＳ、ただ、検査がほかの人より凄く難しい、これ自体が異常なのではないか？——ここから私のＩＢＳへの取り組みが始まったのです。

何事にも原因があるように、ＩＢＳには「原因」となる「患者さんの体質」があります。原因となる「体質」を適切に対処すれば必ずよくなる。これが、私が〝内視鏡を通じて〟出した結論です。

ＩＢＳ患者さんの「体質」への対処は自宅でもできるものがほとんどです。この本には、私がふだん外来で行っていることを医療現場で使えるレベルで紹介しています。

ＩＢＳの治療が難しいと思われるのはＩＢＳという「病名」を画一的に治そうとするから。

ＩＢＳの「原因」は何なのか、その「原因」となる患者さんの「体質」を理解して対処すれば、まさに「ＩＢＳの治療はわかりやすい」。それは８年前も今も変わらない考えです。

目次

第1章 私のIBS卒業記

ケース❶ 大好きな野球も断念。腹痛と下痢に苦しんだA君……10

ケース❷ 落下腸によるIBSで、学校も休みがちになったBさん……20

ケース❸ 激しい下痢で、病気に支配されていたCさん……29

こんなケースもあります

食事内容による消化吸収不良（FODMAP（フォドマップ）や脂質による下痢、ガス）……38

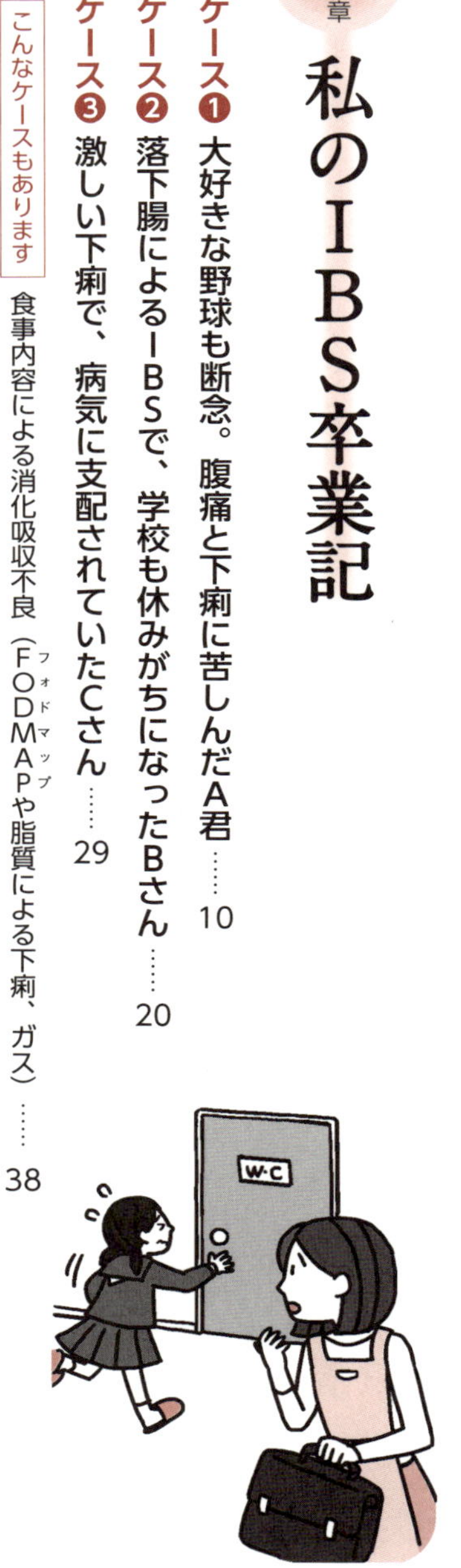

第2章 IBSはこんな病気

●身近な病気なのに、誤解が多いIBS……40

誤解❶ IBSはストレスに弱い人がなる病気 40

誤解❷ IBSでは下痢しか起こらない 42

誤解❸ ストレスを緩和すれば、IBSは改善する 43

●IBSの国際診断基準（RomeⅣ）は「下痢や便秘など排便状況の変化に伴う反復する腹痛」……44

●症状からさらに4つのタイプに分けているが……46

● IBSを症状ではなく、原因で分類すると…… 47
▼ストレスに腸が過剰反応する「体質」の「ストレス型IBS」 48
▼腸の形から運動が不足すると便秘と下痢になる「体質」の「腸管形態型IBS」 54
▼食事をすると胆汁が原因の下痢を起こす「体質」の「胆汁性下痢型IBS」 58
▼消化吸収不良で下痢やガスを起こす「体質」の「消化吸収不良型」 60
● IBSは「わかりやすい病気」と知ってほしい…… 60
● IBSは子どもにはなく、思春期から起こる…… 62
● 内視鏡検査でわかった、腸の異常とIBSの関係…… 63
● 「外野」だからこそ気づいた、IBSのタイプ…… 65
● IBSのタイプによって、症状が少し異なる…… 66
▼ストレス型IBSの症状 66
▼腸管形態型IBSの症状 68
▼胆汁性下痢型IBSの症状 70
▼消化吸収不良型IBSの症状 71
● 症状への不安から、生活のいろどりが少なくなりがち…… 71
● ゲップやおなら、おなかの音などに悩む人も多い…… 72
● 痛みの症状は、必ずしも悪いことだけではない！…… 74
コラム 国がちがえばおなかの中もちがう？…… 76

第3章 IBSと診断されるまで

●知っているようで、意外と知らない腸のしくみ …… 78
●IBSの診断は最後に下される …… 81
●急に始まり、かつ、ほかの症状を伴う場合はすぐに病院へ …… 84
▼ウイルスなどの感染症による下痢 85
▼膵臓に炎症などが起こることによる下痢 85
▼腸に炎症が起こる「潰瘍性大腸炎」や「クローン病」 86
▼大腸がんでは、便秘と下痢、両方が起こる可能性がある 86
●危険度が高くない、原因のはっきりしない下痢・便秘は医療では軽視されがち …… 88
●病気は見つからなかったが、たびたび下痢が起こる場合 …… 89
▼牛乳　乳糖不耐症による下痢 89
▼アルコール　じつは強い下剤作用がある 90
▼コーヒー　日本人にはコーヒーの飲みすぎの人が多い 91
●おなかの痛みを伴わない便秘は多い …… 92
▼直腸性便秘　便意を感じにくくなってしまうタイプ 92
▼けいれん性便秘　大腸がギューギューとけいれんする 95
▼弛緩性便秘　下剤の連用が大腸を破壊してしまう 97
▼食事が原因の便秘　食物繊維のとりすぎが逆効果に 99
▼日本人の宿命!?　お尻の形が原因で便秘になることも 101
●便秘を起こしやすい状況もある …… 102
●IBSの診断には、問診と大腸の検査が必要 …… 103
▼問診　症状だけでなく、日常生活の変化なども伝えよう 104
▼家族に胃腸の病気があるかどうかも伝えておきたい 105
●検便検査や内視鏡検査で「異常なし」を確認する …… 106
●内視鏡検査の「プロセス」も、大切な情報となる …… 107
●エックス線検査にはじつは大きな情報が隠されている …… 109
●胆汁性下痢型IBSの場合は、治療が検査をかねる …… 111
コラム　ピンチは目をつぶってやりすごせ！ …… 112

第4章

IBSを病院で治す

● 診断は治療の第一歩 …… 114
▼ストレス型IBS「敵を知り、己を知る」ことが治療になる 115
▼腸管形態型IBS 腸の形を見ることで治療のポイントがわかる 116
▼胆汁性下痢型IBS じつは特効薬がある 118
▼消化吸収不良型IBS 便秘に良い食事は下痢には合わない 118
● IBSの治療では病態を理解して薬を適切に使う …… 119
● ストレス型IBSで使う薬 …… 119
▼ラモセトロン（商品名・イリボー） 119
▼クエン酸タンドスピロン（商品名・セディール） 122
● 腸管形態型IBSで使う薬 …… 123
▼浸透圧性下剤（酸化マグネシウム／商品名・マグミット、オリゴ糖／商品名・ラクツロース、ポリエチレングリコール／商品名・モビコール） 123
▼高分子重合体（ポリカルボフィルカルシウム／商品名・コロネル、ポリフル） 124
▼上皮機能変容薬（リナクロチド／商品名・リンゼス） 124
● 胆汁性下痢型IBSで使う薬 …… 125
▼コレスチミド（商品名・コレバイン） 125
● IBSに伴って起こる症状をやわらげる薬 …… 126
▼消化管機能改善薬 127
▼消化管内ガス駆除剤（消泡剤）・ジメチコン（商品名・ガスコン） 128
▼整腸剤 128
▼一時的に使う下剤 129
▼抗不安薬・抗うつ薬 130
● 診察で伝えてほしいこと …… 131
● 市販薬はあくまでも一時の助けとして使う …… 132
● 「認知療法」内視鏡の新たな活用法 …… 134
＊ IBSの治療で使われる主な薬 …… 135

第5章 IBSを自分で治す

●「必ずよくなる」と常にイメージする……138
●排便のリズムをつくるためにも規則正しい生活を……140
●マッサージで大腸を動かし便を出しやすく……142
▼マッサージを行うのに注意が必要な人も 144
▼マッサージは一日2セットで十分 145
▼「のの字マッサージ」について 154
●「ラジオ体操」から運動を始めよう……154
●ストレスをためない心をつくる……157
●体のリラックスを心がけよう……158
●食生活を見直す……162
●オリゴ糖を食事にプラス……163
●食物繊維は不足よりも過剰に注意……164
●水に溶ける繊維と溶けない繊維がある……165
●ある特定の食品を除去するFODMAP制限療法が注目を集めているが……168
▼便秘に効く食品が、人によっては効きすぎて下痢をまねくことも 168
▼実際には、食事制限が必要な患者さんは多くない 170
●食事の改善は体の声を聞きながら……172
＊久里浜医療センターの取り組み(抜粋)……173
おわりに……174

スタッフ
編集協力・原かおり
装丁・ペンシルロケット
本文デザイン・HOPBOX
組版・KCDW
イラスト　坂上七瀬

第1章

私のＩＢＳ卒業記

私はこうしてＩＢＳを克服した

ストレス型IBS

大好きな野球も断念。腹痛と下痢に苦しんだA君

小学生のころからおなかが弱く、中学でも原因不明のおなかの症状に悩まされる。高校生になって、野球の失敗からIBSを発症。ほとんど通学できなくなるが、「体質が原因」と割り切ることで回復へ

野球好きで、元気いっぱい。おなかがちょっと弱い。それで済んでいた小学生時代

息子（A）は、小学生のころから野球チームに参加していて、とにかく野球が好きなわんぱく少年でした。高学年になるとピッチャーを任されて、県大会にも出場しました。

明るい性格で、周囲を笑わせることが大好きだった半面、ナイーブで気の小さいところもあり、県大会の直前には、トイレに駆け込んでいました。

今思えば、このころから緊張すると腹痛や下痢が起こっていたのです。「ちょっとおなかの弱い子」そんなふうに家族は思っていました。

疲れがたまったので2、3日休むつもりが……1ヵ月

中学生になると、野球部に入り、毎日が野球を中心に回るようになりました。強豪校で練習はかなり

ハード。無理をしたのでしょう、中学1年の秋に、疲労から体調を崩し学校を休みました。すると、自宅で激しい腹痛と下痢が始まったのです。

このときは「疲れがおなかに来たのかな」という程度にしか思わず、翌朝、「おなかの薬をもらいに行こう」と近所の総合病院へ行きました。息子も私も、2、3日で治るだろうと思っていたのです。ところが、病院では「原因がわからないので、1週間絶食のうえ、もう一度検査します」と言われ、そのまま入院することに。大腸の内視鏡検査をはじめ、いろいろな検査を重ねてズルズルと入院期間が1ヵ月間に延びたあげく、やはり原因がわからないからと大学病院に移ることになりました。

ところが、大学病院でも原因はわからずじまい。

結局、特に治療を受けることもなく、その後の展望もわからないまま、日常生活に戻り野球も再開。さいわい、おなかの症状は治まっていたので、困ることはありませんでした。

大好きな野球が、おなかの調子を左右しはじめた

何もなかったとはいえ、1ヵ月も入院していたので、野球部の先生には、軽い練習からスタートしてほしいとお願いしました。ところが、先生は「病気ではなかった」という印象をもたれたのでしょう、退院直後の試合で登用されたものの入院で体力が低下していた息子は期待にこたえられず、先生は息子を「病気じゃないのになぜ力が出せないんだ」と怒ってレギュラーから外してしまいました。この先生には、息子がおなかの不調で悩んでいることをとうとう理解してもらえませんでした。それでも息子は

野球が好きだからと、がんばってチームに通っていましたが、ときどきおなかを壊すようになり、ひどいときは一日に何度も下痢に悩まされるようになったのです。

しかし、次の年には野球部の顧問の先生が替わり、それがきっかけで息子はレギュラーに復帰し、この年は大きな大会で優勝することができ、この年は、おなかの具合が悪くなることはほとんどなく、元気に学校に通い、野球を楽しむことができました。

息子が野球を大好きなこと、そして、野球を楽しめることが息子の体調に大きな影響を及ぼすのだと、改めて感じられた一年でした。

大好きな野球で、大きな痛手をこうむり、ついにダウン

中学を卒業後、息子は、地元の野球部の強い高校に進みました。息子は迷わず野球部に入り、野球づけの日々が始まりました。

がんばりのかいあって、息子は1年生ながらレギュラーに抜擢されました。でも、これが病気の悪化を招くきっかけになりました。県大会という大きな舞台で、息子はまさかのエラーを出し、逆転負けを喫してしまいます。もともと、よく言えば繊細、悪く言えば「ビビリ」なところがある息子、本人の落ち込みはひどく、野球をやめようとも思ったようですが、チームメイトや監督が励ましてくれたので息子も立ち直り、このときにはおなかの調子を崩すこともありませんでした。

でも、試合の2ヵ月ほどあと、息子のエラーに対するひどい中傷が息子の耳に入ってしまいます。そ

して、その数日後にひどい腹痛で入院することになったのです。

このときも原因はわからず、数日後には大学病院へ転院。そして、検査のための入退院を繰り返しながら、高校1年生の残りの日々を過ごすことになりました。検査のない日も、腹痛と下痢で欠席することが多く、登校しても保健室で寝るだけの日もしばしば。11月以降、ほとんど欠席状態のまま4月を迎え、高校2年生になった春、ようやく診断がつきました。

息子はIBSだったのです。

下痢と腹痛から、ほとんど学校に通えなくなる

大学病院では、「炎症は見られないが、腸の中の流れがものすごく速くなっている。おそらくIBSだろう」との説明を受けました。

入院してから半年、中学時代から考えれば、じつに数年もかかって、はじめて「過敏性腸症候群・IBS」という診断にたどり着いたのです。

このとき、私は、そしておそらく息子も、「やっとなんの病気かわかった。これから治療を受ければよくなるだろう」と思いました。ところが、これが新たな苦しみのスタートだったのです。

IBSの治療が受けられる近所の心療内科を紹介してもらい、薬による治療を受けはじめましたが、満足のいく効果は得られませんでした。下痢や腹痛の回数が減らないだけでなく、一度腹痛が始まると、どんな痛み止めも効果がありませんでした。

おなかを押さえてうずくまる息子の腹部をさすると、形がわかるほどに腸が固くなっているのが感じられ、これはどれほどの痛みだろうかと、さすっている私がつらくなるほどでした。

また、症状を訴えても満足のいく説明がないままに、薬の種類がポンポンと増えるだけ。多いときには10種類以上、手の平いっぱいの錠剤をのんでいました。

薬をのんでも体調は改善せず、ひどいときは何日も寝たきりになるなど、ほとんど学校には通えない状態でした。症状が軽い日には、本人が「明日は学校に行けそうだ」と準備を始め、私も祈るような気持ちで朝を迎えるのですが、結局朝、起きられなかったり、ひどい腹痛と下痢に見舞われたりして、そのまま休む……という繰り返し。

次第に昼夜が逆転してしまい、本人にも「何をやってもダメだから、何をしてもかまわないだろう」という捨て鉢な気持ちが出て、改善する気力も起こらないようでした。それではだめだと何度も叱り、息子とぶつかることもありました。つらい状況にある息子に「それでもがんばれ」と言い続けるのは、私にもつらいことでした。

高校が遠いなら、私たちが近くへ行こう

夏休みになっても、まったく改善の兆しはありません。そこで、私は夫と、病気への対応や息子の将来について真剣に話し合いました。夫も私も、息子にとって一番の支えになるのは野球だ、という点では一致していました。おかしなことかもしれませんが、私たちにとっては、息子が学校に行けるように

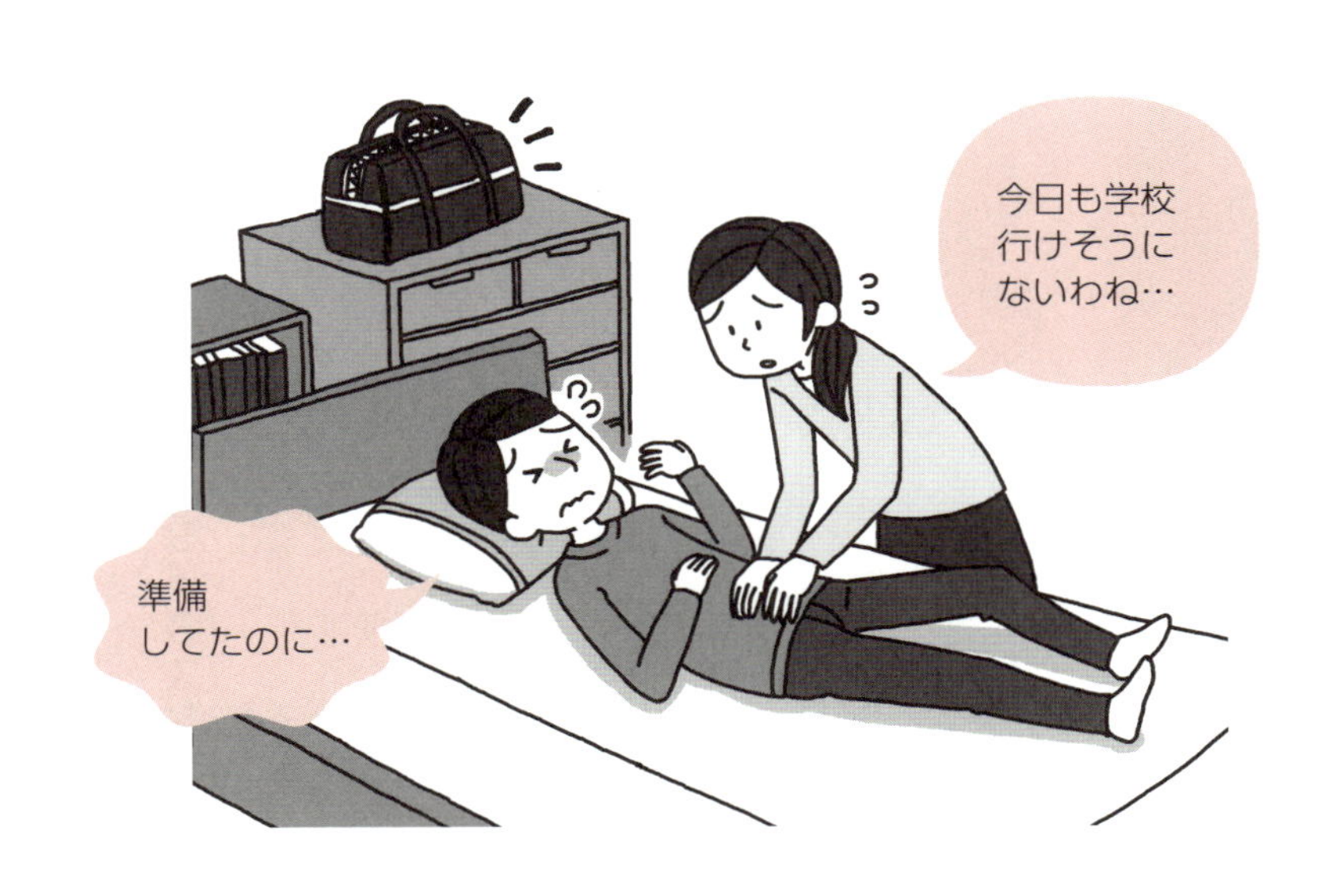

なるよりも、学校に行って野球ができるようになるほうが重要だと感じられたのです。

息子が通っていた高校までは、家から車で1時間ほどかかります。今の息子には電車通学は不可能ですし、車で送迎しても、往復の時間すら負担になります。そこで、私たちは2学期のスタートに合わせて、学校の真ん前にアパートを借り、家族全員で引っ越したのです。

環境が変わって、好きな野球をしやすくなれば、息子の病状が少しは改善するのではないか——そんな賭けのような気持ちでした。

残念ながら、引っ越してからも症状は好転せず、息子はほとんど通学できない日が続きました。しかし、よいこともありました。担任の先生や野球部の仲間が、朝に夕に顔を出してくれるようになったのです。家に閉じこもったままの息子にとって、友だちが来てくれることはなにより大きな励みになりました。

「ストレスが原因」が息子のストレスに

そのころは、IBSについて書かれた本やインターネットに目を通すのが私の日課でした。ほかの医師の意見も聞きたいと、隣県の医療機関へ息子を連れて行ったこともあります。しかし、どこの病院へ行っても、何を読んでも、病気の説明はだいたい同じ。「IBSにはストレスが深くかかわっている」という言葉に、息子は強く反発していました。自分の弱さを認めたくないという気持ちもあったと思います。

私から見れば、たしかに息子には弱いところがあり、悪化のきっかけになったのも、野球の試合のストレスだったと思います。しかし一方で、ストレスだけで、ここまで苦しむものだろうか、という疑問もありました。

また、息子には、もう一度野球をしたい、野球ができる体に戻りたい、という強い願いがありました。息子にとって、野球は回復への支えでもあったのです。野球は、ストレスでもあり、支えでもある。こんな〝野球バカ〟に「野球はストレスになるからやめなさい」とはとても言えません。

ストレスの元を避ければ回復する、という解決策は、私たち家族にはとても受け入れられないものでした。

「IBSは体質の病気なんだよ」このひと言で息子の表情が変わった

そんななかで、インターネットでたどり着いたのが、久里浜医療センターのIBS・便秘外来のサイトでした。ここに書かれた病気の説明を読んだときに、私の心を動かしたのは、「IBSはストレスの病気」とはひと言も書いていないところでした。ここなら、息子の苦しみをわかってくださるかもしれない。そう思った私は、息子を受診させることにしたのです。このとき、すでに12月。息子がIBSでほとんど学校に行けなくなってから一年たって、ようやくここまで来た、と思いました。

久里浜医療センターで今までの経過を説明すると、水上先生は「今までよくがんばりましたね。A君のIBSはストレスで腸が働きやすいという『体質』が原因で、ストレスはきっかけになっているだけにすぎません」と言ってくれました。また「小さいころからトイレによく行くようなことがあったのではないですか」とも聞かれ、それはまさにそのとおりでした。

さらに「大学病院の医師にもIBSの人はたくさんいる。めずらしい病気ではないし、まあ、優秀な人がなりやすいとも言えるんじゃないかな」とも。

これを聞いたとき、息子の表情はくもり空が晴れるように明るくなりました。いままで、ストレスだ、自分の弱さが原因だ、気合が必要だ、などの言葉に反発し、ひっかかりを感じていたのが、先生の言葉でほぐれたのでしょう。「体質が原因だ」という説明は、息子の心にスーッと入り、納得して病気に向き合うことができるようになったようです。

もちろん、これですぐに治ったわけではありません。しかし、帰宅後、自分で進んで担任の先生に電話をかけて経過を報告するなど、前向きな姿勢がみられました。

2月には、薬の処方について相談するために、久里浜医療センターを再受診しました。水上先生は大量の薬を見て「これは大変なことになっているね」と驚き、薬を12種類から2種類に減らしてくれました。抗うつ薬などをのまずに済むようになり、息子の生活サイクルは徐々に整ってきました。

結局、息子は高校2年生の1年間をIBSに奪われた形になりましたが、春休みに補習を受けることで出席日数を補ってもらい、なんとか高校3年生に進級できました。

学校に、そして野球部に復帰！

3年生に進級した息子は、少しずつ登校できる日が増えてきました。早退せずに済んだ日には野球部の練習にも参加し、また野球ができる喜びをかみしめていたようです。

とはいえ、1年半のブランクは埋めるべくもなく、最後の大会はベンチ入りもかないませんでした。息子はもちろんくやしかったでしょうが、口に出すことはありませんでした。おだやかに夏の大会を見守り、夏休みの終わりに私たちは学校の前のアパートを引き払い、自宅に戻りました。

そのころには、以前処方されていた薬の残りから「イリボー」だけを取り出してのむような状況でした。もうそれくらい体調が安定していたのです。

その後もまたおなかの調子が悪くなったりしましたが、以前のように寝込んだり、何もできなくなるほどではありません。自分でコントロールする自身もついたようです。現在は親もとを離れ、一人暮らしをしています。

息子の巣立ちの日、息子を見送って家に帰ると、テーブルの上に手紙が置いてありました。息子からでした。

手紙には、病気にさえなっていなかったら、という気持ちが今も残っていること、それでもこれは運命で、自分は試練を与えられて、周りの人の助けで乗り越えられたのだから、今度は自分が周りの人を助けられるようになりたい、と書いてありました。

これを読んだとき、私は息子が病気を通して大きく成長し、そして一つのステップを卒業したのだと実感しました。IBSは体質ですから、完全に治るわけではないでしょう。それでも、この先きっと息子は大丈夫。初めてそう感じることができたのです。

あきらめないでよかった

息子の闘病生活を振り返って思うことは、あきらめないでよかった、ということです。先生がこう言っているから、とあきらめず、自分の感じたことに通じる答えが出るまで探し続けてよかったです。

医師に質問したり、セカンドオピニオンを求めたりするのは勇気がいることですし、医師との関係が悪くなるかもしれないと思うかもしれません。それでも、病気を治すのは医師ではなく、自分たちなのだ、と気持ちを強く持って、病気に向き合っていくことが必要なのだと思います。

腸管形態型IBS

落下腸によるIBSで、学校も休みがちになったBさん

小学生のとき、突然激しい下痢と腹痛が始まった。腹部エックス線検査で、「落下腸による便秘と、それに伴う下痢」との診断を受ける。マッサージに取り組み、徐々に改善していった

それは、ある朝、突然始まった

娘（B）は、小さいころから体を動かすことが好きな活発な女の子でした。小学校入学前からバレエを習い、小学校ではバレーボールのチームにも所属。毎日がんばっていました。学校を休むこともほとんどなく、よく食べ、よく寝て、よく動く。そんなごく普通の学校生活を送っていたのです。

ところが、小学5年の冬の日、娘が突然トイレから出られなくなりました。その朝、私はいつもどおりの時間に娘を起こし、朝食の準備をしていましたが、いつまでたっても娘は姿を現しません。心配になって家の中を見て回り、トイレにこもっている娘に気づいたのです。

ドアをノックして声をかけても、娘は「おなかが痛い」と言うばかり。

学校に欠席の連絡を入れ、娘に何が起こったのか、

私はずっと気をもんで待っていました。結局、その日トイレから出てきたのは昼近く、じつに4時間もたってからです。トイレから出てきた娘は意外にもスッキリした表情をしていました。どんなにげっそりしているだろう……と思っていたのに、顔色も表情もいつもどおり。「おなかが痛くて、下痢っぽいのがなかなか止まらなくてスッキリしなかったんだけど、やっと治まった」と笑う娘に、心配していた私はかえって腹立たしい気持ちになったほどです。

その日は軽いお昼を食べさせて様子を見ましたが、腹痛がぶり返すことはありませんでした。たまたまおなかをこわしたのかもしれないけれど、もう大丈夫だろう、と私は安心していました。そのくらい、娘は元気だったのです。

毎日、トイレに5時間。トイレジャックが始まった

ところが、翌日も娘は朝からトイレにこもってしまいました。この日は2時間ほどで出てきたので、途中から登校させたものの、下校するとすぐにトイレにこもってまた1時間。さらに、夕食後にもトイレに行き、出てきたのは1時間後でした。

この日から、娘は毎日激しい腹痛と、しつこい下痢に悩まされるようになりました。便が出きってトイレから出られればスッキリして元気でいられるものの、一度おなかが痛くなると、トイレに長時間こもってしまうのです。

朝から5時間くらいこもりっきりの日もあれば、1、2時間で出られるものの、2〜3回行かなくて

はいけないという日も。いずれにしても、一日に合計で5時間ほどもトイレで過ごしているのです。

1週間たってもよくなる兆しがなかったので、かかりつけの病院に行ったところ、下痢止めや整腸剤などが処方されましたが、効果はありませんでした。しかも、なかなかよくならないと相談したら、「下痢は子どもにはよくある症状。3週間くらい続かないと、異常とは言えません」と言われてしまったのです。

「おなかをこわした」という程度だったらそうかもしれません。しかし、日に5時間もトイレにこもるほどの下痢で、通学にも支障が出ています。医師の言葉にはとうてい納得できず、すぐに近所の総合病院の消化器科を受診することにしました。

しかし、次の病院でも、薬を変えたり様子を見たりしていても効果はほとんど現れません。変化のないまま2ヵ月近くもたってしまい、娘はほとんど学校に通えないまま6年生になりました。

私は下痢ももちろん心配でしたが、「このまま不登校になってしまうのではないか」と気をもんでいました。下痢がひどくなる前から友人関係の悩みを抱えていたこともあり、私は精神的なものが原因なのではないかと思いはじめていました。

結局、医師から「原因がわからないので対処のしようがない」と言われ、水上先生のいる久里浜医療センターを紹介されたのです。

「落下腸です」「ラッカチョウ……？」

さいわい久里浜医療センターはすぐに予約が取れました。診察室に入るときには、期待半分、不安半分の心境でした。また原因がわからなかったらどうしよう――。ところが、腹部エックス線検査の写真を見ながら水上先生が言ったのは、まったく知らない病名でした。

「落下腸によるＩＢＳです」

「ラッカチョウ……ですか？」

「大腸の形のことです。Ｂさんの場合は生まれつきでしょう。今回の症状は、最初に便秘があって、うまく出せなかった便が腸にたまって腸を伸ばしてしまったために、さらに便が出にくくなって症状が起こっているのだと思います。精神的なストレスも多少影響があるかもしれません。いずれにしても、時間はかかるかもしれませんが、絶対に治ります」

私にとっては、ＩＢＳも落下腸も初めて聞く病名です。しかし、診断がついたことで「病名がわかれば治療法があるはず」と安心することができました。

なにより「絶対に治る」と断言してくれた先生の言葉は心強く、生まれつきの腸の形ならしかたがない、腸の形がかかわっているのなら、そこが改善への突破口になるかもしれない、と少し肩の力が抜けたように感じたものです。

絶対に治るはず、だが回復の歩みはゆっくり

水上先生の診察では、大腸マッサージの指導のほか、日常生活では適度な運動をするようにとのアドバイスを受けました。そこで、発症後ずっと休んでいたバレエとバレーボールを再開することにしました。しかし、せっかく行ってもトイレから出られず、練習には参加できなかったり、そもそも行けない日も多く、あまり状況は好転しませんでした。

しかも、マッサージを朝と寝る前に行うように決めたものの、娘は、夜に布団に入ればすぐに寝てしまい、朝は忘れてそのまま起きてきてしまう……という状態でした。私が「今日はマッサージした？」と確かめると「あ、忘れてた」とその場でやったりと、つらそうなわりに本人にあまり真剣みがありません。

生まれつきの大腸の形が原因なのだからしかたがない、そう頭ではわかっていても、症状が一向によくならず、娘が一見のんき気に過ごしていること、そして「このまま不登校にさせたくない」という心配もあり、トイレから出てこない娘をつい責めることもしばしば。

叱られても症状がよくなるわけではないので、かわいそうなことをしてしまいました。

診察は１ヵ月に１回のペースで続いていました。「今使っているモニラックという薬は便をやわらかくするものです。便がたまってしまうとますます出にくくなるので、とにかく便をためないことが大切

朝と寝る前にいっしょにがんばりましょ！

夏休みに入ると二人とも落ち着いて取り組めるようになった

です」と言われ、日常生活では、マッサージと運動が基本というのは変わらず、親としては見守るしかないもどかしさがありました。

それでも、先生が「時間がかかっても、かならずよくなりますよ」と声をかけてくれるのが娘にも、私にとっても〝薬〟となっていました。

いっしょならがんばれる。親子でマッサージに取り組む

下痢がひどくなってからは遅刻や欠席が多く、学習内容を追いかけるのが大変になってきたうえに、連絡事項が伝わらず、忘れ物も増えてしまいました。友だちと共通の話題が少なくなったりと、気持ちの負担が大きくなっていたころ、夏休みになりました。

すると私も、学校に行かせなきゃというプレッシャーから解放され、久しぶりに家族みんながのびのびと過ごせました。

時間に余裕があったので、私は娘といっしょに朝

と夜、マッサージをすることにしました。本人に任せているとなかなか習慣にならなかったのですが、娘もだれかといっしょにやると励みになるようで、規則正しくマッサージに取り組めるようになりました。

薄皮をむくように、改善の兆しが現れる

学校が始まると、また症状と格闘する日々が続きましたが、「ああ、今日はトイレが短くて済んだな」と感じる日が少しずつ出てくるようになりました。少しずつですが、症状が改善してきたのです。ただし、それは今振り返れば「この時期に改善してきていたのだな」と思えるだけで、その当時は「昨日は短くて済んだのに、今日はまたダメだった」というように一進一退としか感じられませんでした。

ところが11月のある日、そういえば春ごろに比べればだいぶよくなってきている……と気づいたのです。以前のようにトイレに何時間もこもる日は少なくなって、週の半分ほどは遅刻せずに行けるようになっていましたし、休むこともなくなっていました。

「できない」ことばかりに目がうばわれていて、「できるようになった」ことに気づく余裕がなくなっていたのかもしれません。

娘も、「おなかのマッサージをすると調子がいいみたい」と言うようになり、忘れることなくちゃんと取り組むようになりました。症状が改善してきたのはもちろん、本人に「自分で治そう」という意欲が出てきたのもうれしい変化でした。

診察の間隔が2ヵ月に一回になったのもこのころです。先生から、「よくなってきたので、診察の回数を減らしても大丈夫でしょう」と言われたときは、回復してきていることを改めて保証されたように感じて、うれしかったものです。

進学が新しいスタートになった

こうしてわが家の「長い冬」はやっと終わり、季節は春になりました。小学校の卒業式も遅刻せずに出席することができ、中学校の入学式を迎えるときには、娘は普通にトイレに行き、すぐに出てこられるまでに回復したのです。

娘が毎日元気に過ごせるようになって、家族全体の雰囲気も明るくなりました。病気の真っただ中にいるときには自覚はありませんでしたが、家族がみな娘の体調を気づかって落ち込んでいたのだと、あらためて気づかされました。

病気がひどかったときには、娘は自分に引け目を感じたり、物事に前向きに取り組めなかったようです。でも、今は積極的にがんばっているんだ、と本人から聞いたときには、のん気でマイペースだった娘が病気を通じて成長したということを実感しました。

診察も今は3～4ヵ月に1回くらいです。水上先生によると、「腸の形の問題に加えおなかの痛みというストレスで腹痛がさらに悪化していたのが、病気にまっすぐ向かい合うことで改善したのでしょう。しかし、落下腸であることは変わらないので、今後もマッサージや適度な運動は続けてください」とのことでした。ただ、それでよい状態が保てるのであれば、大きな負担ではありません。

娘は、今ではマッサージがすっかり習慣となっています。最初のうちは「つい、うっかり」ばかりだったことを考えると、本人任せにせず、家族でしっかり取り組んでよかった、としみじみ思います。

ずっと付き合っていく病気だけど……

落下腸など、体質的なものが要因でＩＢＳになった場合、ずっと付き合っていかなければならず、うまく折り合っていくのに時間がかかることもあるかと思います。特に、娘のように、突然ひどい症状が始まった場合は、本人も家族もつらい思いをしますが、必ず、平穏に生活できるようになるはずです。治療には時間がかかるかもしれません。本当に治るのだろうか、と不安にもなるでしょう。私も、不安やイライラが大きくなって娘を叱ってしまうこともありました。

それでも、「絶対に治ります」。ですから、ＩＢＳと気長に付き合ってほしいと思います。がんばらなくてよいのです。がんばらないことを、がんばってほしいと思います。

CASE 3

胆汁性下痢型IBS

激しい下痢で、病気に支配されていたCさん

28歳のころ、徐々に下痢が始まる。症状はしだいにひどくなり、電車に乗れない、トイレのない場所に行けないなどの不便も出てくる。10年かかって、やっと胆汁性下痢型IBSの診断にたどり着く

健康には自信があったのに、徐々に〝下り〟ぎみに……

僕はもともとバスケットボールが好きで、学生時代はもちろん、社会人になってからも趣味でチームをつくり、休日には練習や試合に励んでいました。仕事は忙しかったけれど、体力や健康に不安を感じたことはありませんでした。

ところが、28歳になったころから、おなかの調子が悪くなってきたのです。朝起きるとほどなく便意をもよおしてトイレに駆け込み、出るのはひどい下痢便……という調子でした。それでも、最初のうちは「昨日お酒を飲みすぎたかな?」と思う程度で、あまり気にしていませんでした。

このころは市販の下痢止めがよく効いていたし、朝食を抜けば、朝の不調も切り抜けることができていたのです。妻は「病院に行ったほうがいい」と言っていましたが、僕自身は「自分でコントロールでき

るから大丈夫」と夕カをくくっていました。友人とお酒を飲みにも行ったし、海外出張などのハードな仕事もこなしていました。

ところが、状況は徐々に悪化してきました。下痢の回数が増えてきて、一日に3～4回、激しい便意を感じるようになったのです。しかも、下痢なので、便意を感じたらすぐにトイレに行かないと間に合わない。こんな日々が続き、自分でも「これは普通ではないな」と感じるようになりました。

「異常なし」でひと安心、でもそれは迷路の始まりだった

そのころには、会社の同僚にも体の不調は知られてしまっていました。「そんなに下痢が続くなんて、病気があるのではないか」と言われ、近所の総合病院の胃腸内科に行き、検査を受けることにしました。病院では、胃や大腸の内視鏡検査などいろいろな検査を受けましたが、特に異常は見つかりませんでした。そこで「過敏性腸症候群、ＩＢＳでしょう」と言われたのです。

初めて聞く病名で驚きましたが、そのときには「何かおそろしい病気が隠れているわけではなかった」と、ひと安心したのを覚えています。その後、整腸剤やポリフルなどを処方されましたが、残念ながら、薬はどれも効果が長続きせず、結局、診察に行くのもやめてしまいました。

当時は仕事がおもしろく、やりがいも感じていて、帰宅が深夜になったり、会社に泊まり込むこともしばしばありました。けっして健康的とはいえない生活スタイルでしたから、体にとってはこれがストレスになっていて、自律神経に影響が及んだのだろうと自分なりに解釈して、納得していたのです。

ひどい下痢はあいかわらず続いていましたし、特に朝のつらさは増していく一方でしたが、なんとなくだましだましで乗り切れていましたし、生活や仕事に支障が出るほどではなかったのです。

年がら年中、トイレのことばかり考えるように……

ところが、5年ほどたつと、状況は悪化します。それまではここぞというときには効いていた市販の下痢止めが効かなくなり、量を増やしても効き目が出なくなってしまったのです。

朝はもちろん、日中でも、便意が容赦なくおそってくるようになって、打ち合わせの途中でも、食事の途中でも、「ちょっとすみません」としょっちゅうトイレに駆け込むようになりました。

仕事もますますハードになってきて、部下がつくようになり、対人関係の悩みなどもそれなりに出てきた時期でもありました。「(精神的な)ストレスがたまった」と自覚したことはありませんが、体力的には限界にきているのかも、と感じはじめました。

ただ、今までがんばってきたおかげで、ある程度自分の裁量で仕事を進められるようになっていたため、「仕事の約束は、できるだけ朝に入れない」など、体調が悪いなりに仕事に支障が出ないように調整できるようになったのはありがたかったです。

なかでも、仕事を続けるうえでいちばん助かったのは、マイカー通勤を認めてもらったこと。あまりにも体調が悪いのを見かねた上司が、特別に計らってくれたのですが、そのころは、もう「電車恐怖症」のような状況でした。便意を感じていないときでも、「次の駅に着くまでに間に合わなかったらどうし

よう……」と、漏れる不安が頭をよぎり、とうとう電車に乗れなくなってしまったのです。

一方、車ならトイレに行きたくなったときに、車を止めてすぐにトイレに駆け込めると思うと少しは安心です。でも、心配がないわけではありません。運転中も、つねにコンビニを探し、いつも使うルートの〝マイ・トイレ・マップ〟をつくっていました。いつでも、頭の片隅にはトイレがあったのです。

薬の2週間マジックが次々と

もちろん、症状をほうっておいたわけではありません。もはや「だましだまし」というレベルではなかったので、まず地元の胃腸内科を受診しました。ここで、初めて「イリボー」が処方されました。

この「イリボー」がおもしろいように効きました。何年かぶりに、固い便が出たのです。そのときはもう、うれしくてうれしくて……。もちろん、ウンチのことですから他人に喜びを伝えるわけにはいきません。一人でしみじみと眺めたことを今でも覚えています。

急な便意も減って、本当に久しぶりに、「健康とはこういうことか」という気持ちをかみしめていたのですが、効果はたった2週間しか続きませんでした。

せっかくの固い便が少しずつ崩れはじめ、それとともに、トイレの回数もまた増えてきました。イリボーに下痢止めを追加したり、増量してもうまくいかず、けっきょく、数ヵ月ほどして「うちでは対応しきれません」と、医師から匙を投げられてしまったのです。

この〝2週間マジック〟は、その後も続きました。別の医療機関で、いろいろな薬を試してもらいましたが、最初は効くものの、2週間ほどで効果がなくなる。そして、数ヵ月ほどして医師から匙を投げられる……これを繰り返すうちに、いつの間にか数年が経ってしまいました。

生活が病気に支配される日々

下痢があまりにもひんぱんなために、趣味だったバスケットボールはもちろん、レジャーも楽しめません。同僚が海外旅行に行ったり、バスツアーに参加したりと楽しそうなのを見て、うらやましいとは思いましたが、自分も行きたいとはみじんも思いませんでした。飛行機の離着陸時、バスでの移動……トイレに行けない密室に閉じ込められるなんて、僕にとっては拷問でしかありません。

食事はもちろん、お茶を飲んだだけでもトイレに行きたくなってしまうので、業務中はほとんど絶食状態。同僚は、食べなくて大丈夫かと気づかってくれましたが、僕にとってみれば、下痢のほうが何倍もつらい。食べないくらいどうということはありませんでした。

唯一、食事を楽しめたのは自宅だけです。夜遅く帰宅して、妻の手料理を食べるのが楽しみ、と言えばほほえましいのですが、実際のところは、気がねなくトイレに行けるからというのが本音。一日の食事を深夜にまとめて食べるのですから、体の負担は大きくなる一方だったと思います。

家族は僕の病気を理解してくれていましたし、車でなら長時間の移動もできるので、家族での外食や旅行はよく行きました。ただし、僕自身はあまり楽しめませんでした。旅先の食事は旅行の醍醐味の一つだと思いますが、僕はそれが味わえないし、なにより子どもに「パパ、トイレは大丈夫?」と心配されるのは、父親としては情けないものです。

あるとき友人に「健康な人はひと月に何回くらい下痢をするのか」と聞き、「下痢なんて普通ひと月に一回もしないよ」と言われてショックを受けました。そんなこともわからなくなるくらい、普通ではない状態が続いていたのです。

病気のつらさと将来への不安から、心療内科へ

いくつもの医療機関を回っていたときに、「心療内科に行ってみては」と言われたことが何回かありました。けれど、当初は僕に「心療内科に行くなんて、意志の弱さを認めるようなものだ」という偏見があり、心療内科を受診したことはありませんでした。

しかし、病気がひどくなって、生活が病気に支配されるようになると、もはやそんなことを言っていられない状況になりました。

夜、ふと目を覚まし「こんな体でこの先どうしよう」と思って眠れなくなったり、「今、この仕事を失ったら、病気もあるし再就職はできない。なんとしてもこの仕事をしくじってはいけない」と思い込んで、駆り立てられるように仕事に励んだり……。

実際には、上司も部下も僕の状況を理解してくれていて、失業する心配はありませんでした。それでも、自分の中の不安が大きすぎて、もうコントロールできなくなっていたのです。心療内科を受診しよう、と思いました。

心療内科では、初めて抗うつ薬を処方されました。そのうえで、今まで使った薬を、組み合わせや用量を変えてもう一度試してみることになりました。試行錯誤の繰り返しで時間はかかりましたが、一年ほどして、イリボーと抗うつ薬の組み合わせが僕に合うことがわかったのです。

下痢の回数がひと月に5～6回と劇的に減り、日中に、こらえられないほど強い便意におそわれることもほとんどなくなりました。

ただ、〝2週間マジック〟を何度も経験した僕は、これで大丈夫という気持ちにはなかなかなれませんでした。よりよくなりたい、その一心でIBSについて調べていた僕は、ついに久里浜医療センターのホームページで自分とそっくりな症状の体験談に出会ったのです。

その患者さんに効果があったという「コレバイン」を自分も試してみたい。そう思って久里浜医療センターを受診しました。

「いっしょにがんばりましょう」

久里浜医療センターでの最初の診察のとき、水上先生は、僕の話をじっくり聞いて、「胆汁性下痢型IBSが基本にあって、そこにストレス型IBSが起こってきていると考えられる」と説明してくださり、そして「いっしょにがんばりましょう」と言ってくれました。今まで病気をちゃんと理解してくれる人はなかなかいなかったので、心強く感じられました。イリボーと抗うつ薬にコレバインを追加することになりました。

コレバインの効果は、想像以上でした。下痢はひと月に2回ほどになり、しかもその程度もずっと軽くなったのです。

体調がよくなるにつれて、僕は以前の生活を少しずつ取り戻しました。友だちとバスケを楽しんだり、たまには飲みに行ったり。子どもに「パパ、ラーメン食べたい」と言われてもためらわずに「よし！行こう」と言えるようになりました。

このあいだは、友だちの家族とみんなで浜辺のバーベキューにも参加しました。浜辺なんてトイレが限られている場所で、お酒を飲んで、焼き肉を食べるなんて、以前の僕だったら絶対できなかったでしょう。

不安が長くなるほど、病気から抜け出せなくなる

水上先生には、「いずれ薬は減らせるでしょう」と言われましたが、それはもう少し先のことになりそうです。病気が改善して、いろいろできることは増えてはいますが、まだまだ僕のなかには不安が残っています。今は、いわばリハビリの時期だと感じています。

例えば、海外出張。行先によっては街なかはもちろん、駅などの公共の施設でもトイレが見つけにくいことがあります。スケジュールもタイトで、自由に行動できる時間が限られています。症状は軽くなったとわかっていても、いまだに〝すぐにトイレに行けない〟状況になると思っただけで、動悸がして不安にさいなまれてしまうのです。

10年も病気をわずらっていると、恐怖心が頭にこびりついて離れなくなる。これが今の僕の状況です。

僕はずいぶん遠回りしてしまいましたが、もし、同じような症状で悩んでいる人がいたら、少しくらい遠くても、早く専門科のある病院に行って相談してほしいと思います。僕のように10年も悩むことを考えれば、病院までの距離は大きな問題ではないと思います。

こんなケースもあります

食事内容による消化吸収不良（FODMAPや脂質による下痢、ガス）

（FODMAP：フォドマップ）

食事には「下痢に良い食事」と「便秘に良い食事」があることはよく知られています。

消化吸収しやすいものは下痢に良く、消化吸収しにくいものは便秘に良いわけです。

最近、下痢をしたり、ガスがたまっておなかが張るといった症状に発酵性糖質（FODMAP）制限食の有用性が説かれるようになりました。

高FODMAP食に含まれる乳、豆、ネギ、小麦などは消化しづらく、おなかを下す原因となり、大腸に届いた糖質は腸内細菌によりガスを発生させます。

特に小麦は、糖質の主体のデンプン以外に蛋白のグルテンが、セリアック病など腸管粘膜障害を起こすとして、主に海外で問題となっています。

消化吸収しにくいものは糖質だけではありません。脂質の消化吸収不良によって症状が起こる場合もあります。

このように、症状が起こる原因に、食品によって「消化が苦手」という体質が存在するケースがあります。

下痢やガスで困っている場合、原因となる食品が特定できれば、量を控えるなどご自身で制限してみましょう。

第2章

IBSはこんな病気

原因別のタイプと特徴を知ろう

身近な病気なのに、誤解が多いＩＢＳ

ＩＢＳ——過敏性腸症候群の患者さんは、日本では13％ほどいるという、かなり身近な病気です。ところが、そのわりには知られていないこと、誤解されていることがけっこうあります。これが、患者さんが正しい治療法にたどり着くのを阻んでいたり、あるいはそもそも自分の状態が病気であり、治せるものだと気づかずに毎日困っている……という状態を招く原因にもなっているのです。

まず、ＩＢＳについて理解するために、多くの人が誤解している点を見ていきましょう。

誤解1　ＩＢＳはストレスに弱い人がなる病気

ＩＢＳとは、「過敏性腸症候群」の英語表記 Irritable Bowel Syndrome の頭文字を取った表記です。最近では、日本語の病名とともに、広く使われるようになってきています。

私は、外来で患者さんに病気について説明するときに、「過敏性腸症候群」という病名よりＩＢＳという名前を使うようにしています。短くて言うのが簡単ということもありますが、何よりも、病気について誤解を招かなくてすむと思うからです。

ＩＢＳの患者さんのなかには、ストレスが発症や悪化の要因になる人がいます。いわゆるストレス性の下痢を繰り返すタイプで、ＩＢＳでいちばん〝有名〟なタイプです。しかし、ストレスではなく、大腸の形などの要因でＩＢＳになる人も、じつはかなり多いのです（47ページ参照）。ところが、日本語の病名にある「過敏」という言葉によって、ＩＢＳは「ストレスに過敏な人がなる病気」というイメージが広がってしまいました。

ＩＢＳでない人は、ＩＢＳは「ストレスの病気」と思っている人が多いのに、私が外来でお会いする患者さんは、かなり多くの人が「自分の病気はストレスとは関係ない」と感じています。病名からくるイメージと、病気の実態がかけ離れてしまっているのです。

irritableという言葉を辞書で引いてみると、「①怒りっぽい、イライラさせる ②〔医学用語〕（刺激に）敏感な」となっています。

医学用語の「敏感な」という意味から病名を訳したのだと思いますが、私が日々接する患者さんの実態からすると、「イライラさせる腸」というのがまさにピッタリだと感じています。おなかがしょっちゅう痛くなって気分が晴れない、すぐにトイレに行きたくなるので日常生活がままならない……まさに、〝腸にイライラさせられる〟のが、ＩＢＳという病気なのです。

ただし、病気の発症にストレスが関与していなくても、イライラ腸に振り回されるうちに、腹痛や便秘、下痢などのおなかの症状がストレスとなって、さらに病気が悪化する……という悪循環に陥るケースはしばしばあります。その点で、ストレスは悪化要因といえます。

誤解2 IBSでは下痢しか起こらない

ＩＢＳの患者さんというと、急におなかの調子が悪くなって、トイレに駆け込む——そんなイメージを持っている人は多いでしょう。急な下痢で、一刻も早くトイレに行かないと間に合わない、という事態は本人がつらいのはもちろんですが、はたから見ても「わかりやすい」ために、ＩＢＳイコール下痢というイメージが先行してしまったのかもしれません。

でも実際には、ＩＢＳには４つのタイプがあります。１つめは、もちろん「下痢型」。２つめは、「便秘型」で、腹痛を伴う便秘に陥るタイプです。そして、３つめが便秘と下痢を繰り返す「混合型」です。これらは単に、便の形状が硬いかやわらかいか、そしてその頻度で決定されます。ちなみに便形状で分類できないものが「分類不能型」となります。

最近はメディアの影響で、ＩＢＳは「便秘と下痢を繰り返す」というイメージを持っている人も少なくないと思います。下痢型や混合型に比べて便秘型が少ないというわけではけっしてありませんが、下痢型や混合型の「すぐトイレに行かないと間に合わない」という切迫した症状に比べ、便秘症状は目立ちにくいためか、あまり知られていません。そのため、特に腹痛を伴う便秘、便秘型の人は、自分はIBSだと気づいていない可能性があります。ちなみに女性のIBSでは便秘型が一番多いです。

誤解3 ストレスを緩和すれば、IBSは改善する

IBSはすべてストレスが原因だ、というのがそもそも正しくないので、ストレスを取り除けばIBSが必ず改善するというわけではありません。

また、IBSでよく知られている「重要な会議の前におなかが痛くなる」「電車に乗っているとトイレに行きたくなる」といった場合、会議に出る、電車に乗るといったことで症状が起こるとしても、それを完全に避けるのは非常にむずかしいでしょう。原因となるストレスを見極めてそれを避ける、というのはIBSの対処法としてよく紹介されていますが、現実的には、それが可能なケースはほとんどないのではないでしょうか。

●ＩＢＳの国際診断基準（RomeⅣ）は「下痢や便秘など排便状況の変化に伴う反復する腹痛」

では、誤解を取り除いたＩＢＳの「正しい姿」とは、どのようなものなのでしょうか。

日本で一般的にＩＢＳの診断に使われているのは、２０１６年に発表された国際的な診断基準（RomeⅣ）による定義です（図１）。

それによると、ＩＢＳは、

「反復する腹痛が、最近の３ヵ月のうち少なくとも１ヵ月に３日以上存在して、しかもそれらの症状が以下の３つの２つ以上を伴う」こと。

①症状が排便により軽快する。
②症状の発現が排便頻度の変化を伴う。
③症状の発現が便形状の変化を伴う。

と定義されています。

ごくごく簡単に言うと、「平均して週1回以上、おなかの痛みに悩まされていて、下痢にしろ便秘にしろ、排便に関連するなら、あなたはＩＢＳの可能性がありますよ」ということです。

Rome Ⅳ によるＩＢＳの定義（図1）

繰り返す腹痛が、最近３ヵ月の中で、平均して１週間につき少なくとも１日以上存在して、しかもそれらの症状が下記の２項目以上の特徴を示す。

1. 排便に関連する。
2. 排便頻度の変化に関連する。
3. 便形状（外観）の変化に関連する。

※少なくとも診断の６ヵ月以上前に症状が出現し、最近３ヵ月間は基準を満たす必要がある。

中島淳，鳥居明，福土審：Medicina53(9)1308-1315,2016.

もちろん、ＩＢＳと診断するには、下痢や便秘などを引き起こすほかの病気が隠れていないかどうかをチェックする必要があります（検査については第3章）。

この定義を読めば一目瞭然なのですが、病気の定義には「ストレス」はひと言も触れられていません。ＩＢＳの診断に「ストレスの有無」は関係ないのです。

また、ＩＢＳの診断でとても重要なポイントは、じつは「おなかが痛くなる」ことと、さらに、「便の回数や便形状が変化する」ことです。

症状からさらに4つのタイプに分けているが……

Rome Ⅳでは、ＩＢＳをさらにお通じの回数や状態から、下痢型・便秘型・混合型、そして分類不能型の４つのタイプに分類しています。

このように、現在一般に使われているＩＢＳの分類は、あくまでも便の形状からふり分けるものです。

便の形状というのは腸管内容物の大腸通過時間を反映しています。大腸を通過するスピードが速いと下痢に、遅いと便秘になるわけで、医学的には意味があるものですが、患者さんからすると、あなたは下痢型ですね、と言われたところで、「そんなことはわかっています」と思うでしょう。

患者さんが本当に知りたいのは、自分の症状がなぜ、どうして起きるのかという原因や、どうしたらよくなるのかといった、具体的な「対処法」です。

IBSの4つのタイプ（図2）

便の形状から、４つのタイプに分けられます。

下痢型	軟便や水様便が25％以上あり、固い便やコロコロの便が25％未満
便秘型	固い便や兎糞状の便が25％以上あり、軟便や水様便が25％未満
混合型	固い便や兎糞状の便が25％以上あり、軟便や水様便も25％以上ある
分類不能型	上記では分類できないものです。

IBSを症状ではなく、原因で分類すると……

病名ではなく、原因に対する治療が必要。これが、私がIBSの治療で最も大事だと思う点です。

IBSは「体質」によって起こる病気です。同じ環境で生活していても、IBSになる人とならない人がいる。これはまさに「体質」の差です。では、どのような「体質」が、IBSの原因となっているのでしょうか。

私は、IBSをその原因から

腸がストレスに過剰に反応する「体質」の「腸管運動異常型（ストレス型）IBS」

腸の形から運動が不足すると便秘と下痢になる「体質」の「腸管形態異常型（腸管

形態型）ＩＢＳ」

●食事をすると胆汁が原因の下痢を起こす「体質」の「胆汁性下痢型ＩＢＳ」

●消化吸収不良で下痢やガスを起こす「体質」の「消化吸収不良型ＩＢＳ」

の４つに分けています。

そして場合によってはこれらのいくつかがかぶっている場合があります。それぞれをくわしく見ていきましょう。

ストレスに腸が過剰反応する「体質」の「ストレス型ＩＢＳ」

一般にＩＢＳというとストレスと言われるイメージのとおりの、ストレスが関与しているタイプです。強いストレスを感じたり、ストレスを感じるきっかけとなるできごとがあると、腸が発作的にギューギューと激しく動いてしまい、強い腹痛と下痢を起こします。ストレスで腸が異常運動を起こすことから症状が現れるので、私はこのタイプを「腸管運動異常型ＩＢＳ」、または短く「ストレス型ＩＢＳ」と呼んでいます。

ストレスに対する反応を起こしやすいかどうかは、体質によって決まります。同じストレスを受けても、反応は人によって異なります。これはストレスに対する強さ、弱さの問題ではなく、体の反応のちがい、つまり体質です。

原因から考えるIBSのタイプ

**腸管運動異常型IBS
（ストレス型IBS）**

強いストレスがきっかけとなって下痢の悪循環が起こるタイプ。

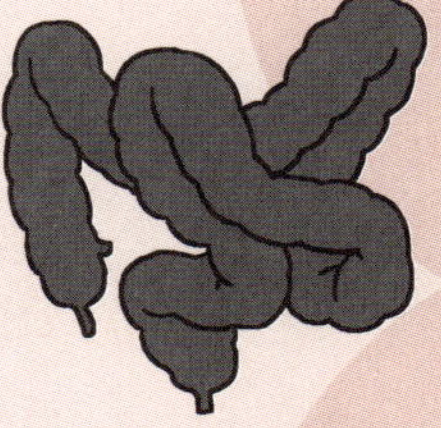

大腸の形が原因で便秘を起こしたり、便秘と下痢を繰り返すタイプ。

**腸管形態異常型IBS
（腸管形態型IBS）**

消化液である胆汁に過剰反応して食後すぐに下痢を起こすタイプ。

胆汁性下痢型IBS

消化しにくい食材で下痢やガスを起こすタイプ。

消化吸収不良型

実際には、複数のタイプを併せ持つ人もかなりいます。特に、大腸の形の問題を併発しているケースが多く見られます。

もともと、私たちはだれでも、極端に強い恐怖を感じたり、長い時間強いストレスにさらされていたりすると下痢をします。ただし、この「下痢をするほどのストレス」がどの程度かには個人差があります。また、そのときの環境や体調などで、ストレスの感じ方、いわばストレスの感度が変化します。例えば、苦手な上司からの小言も、元気な日ならやりすごせるが、体調が悪いときには堪えてしまうといった具合です。

ストレス型ＩＢＳの患者さんの場合、もともとストレス感度がほかの人に比べてやや敏感な体質のようです。それでも、発症前は「緊張すると下痢しやすい、ちょっとおなかが弱い」という程度で済んでいたのが、なんらかのきっかけでストレスと下痢が悪循環に入ってしまい、ちょっとしたストレスで、すぐに下痢を引き起こすようになるようです。

そのきっかけはさまざまです。例えば電車に乗っているときにたまたまおなかが痛くなった場合、次の駅まで間に合わないかもしれない、漏らしてしまうかもしれないという強い恐怖が心に焼きついてしまいます。実際、ＩＢＳの患者さんでは約半数の人が「漏らしたことがある」という驚くべき調査結果もあります。

そして、次に電車に乗ろうとしたときに、その恐怖がよみがえり「またおなかが痛くなったらどうしよう」という恐怖がストレスを増強する悪循環になって、実際におなかが痛くなるのです。

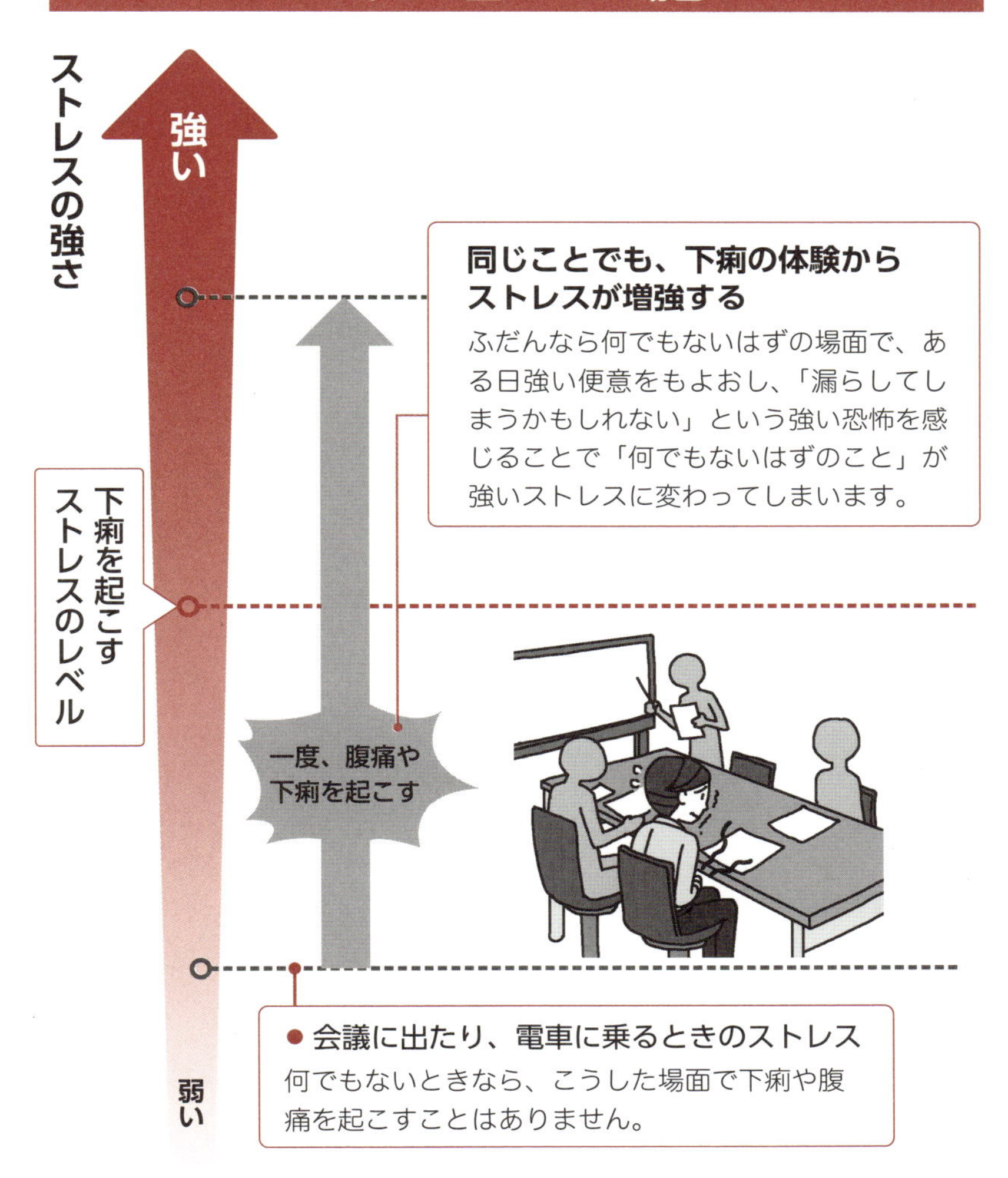

ストレス型ＩＢＳの患者さんは普通の人よりストレスに反応する閾値（いきち）が低く、たまたま強い便意を感じたときとその場面が結びつくと、同じことでもより強いストレスを感じ、悪循環に入って下痢を起こすようになります。

このタイプの患者さんだと、下痢を起こすきっかけをほぼ全員が自覚しています。ただし、以前はこのきっかけを「ストレス」と感じていたわけではありません。その「きっかけ」で一度下痢や腹痛を起こすと、下痢や腹痛を起こすという恐怖と「きっかけ」が結びついてしまうのです。そのため、それまでは大丈夫だったその「きっかけ」によって下痢になるという恐怖心がよみがえってストレスと下痢の悪循環を起こすようになります。

この悪循環に入るかどうかはストレスに対して腸が過剰反応する「体質」であるかどうかにかかっています。

患者さんが自覚しているかどうかにかかわらず、ストレスを敏感に察知する状態になると、脳は、痛みなどの知覚も敏感になりやすいと言われています。そのため、ふだんだったらやりすごせるおなかの痛みや不快感にも、より強く、敏感に反応するようになるというさらなる悪循環に入ってしまうのです。

知覚が敏感になって症状を強く感じるようになると、さらにストレスを増大させるという、症状がストレスを増大させる悪循環に陥り、なかなか病気から抜け出せなくなるのです。

このような体質は本人にとっては困ったことでもありますが、言い換えれば、よく気のつくこまやかな人であるからこそ、とも言えるようです。

ストレスと症状の悪循環

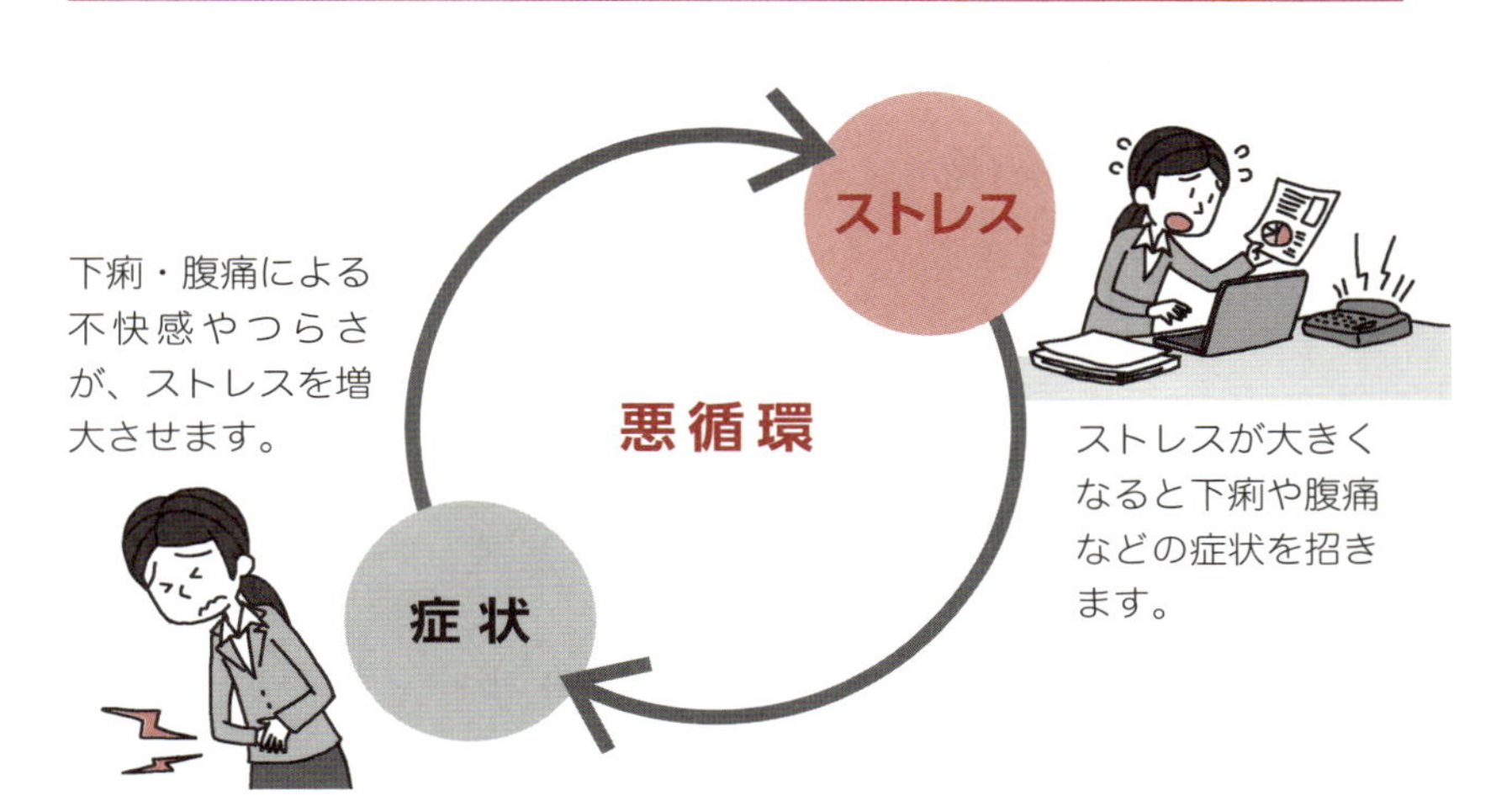

日本やアメリカの疫学調査では、IBSの患者さんは高学歴の人が多いと報告されていますし、私の印象でも、外来でお会いするストレス型IBSの患者さんは、高学歴の人や、コツコツと仕事に打ち込む人など、優秀な人が多いと感じます。

また、もともとはほかのタイプのIBSにもかかわらず、症状が悪化したことで、二次的にストレスによる悪循環に陥る人は少なくありません。

この場合、IBSの症状がストレスとなって腹痛に敏感になり、それがもともとのIBSの症状に上乗せされて、さらにストレスが強くなる……という具合です。

大腸の構造

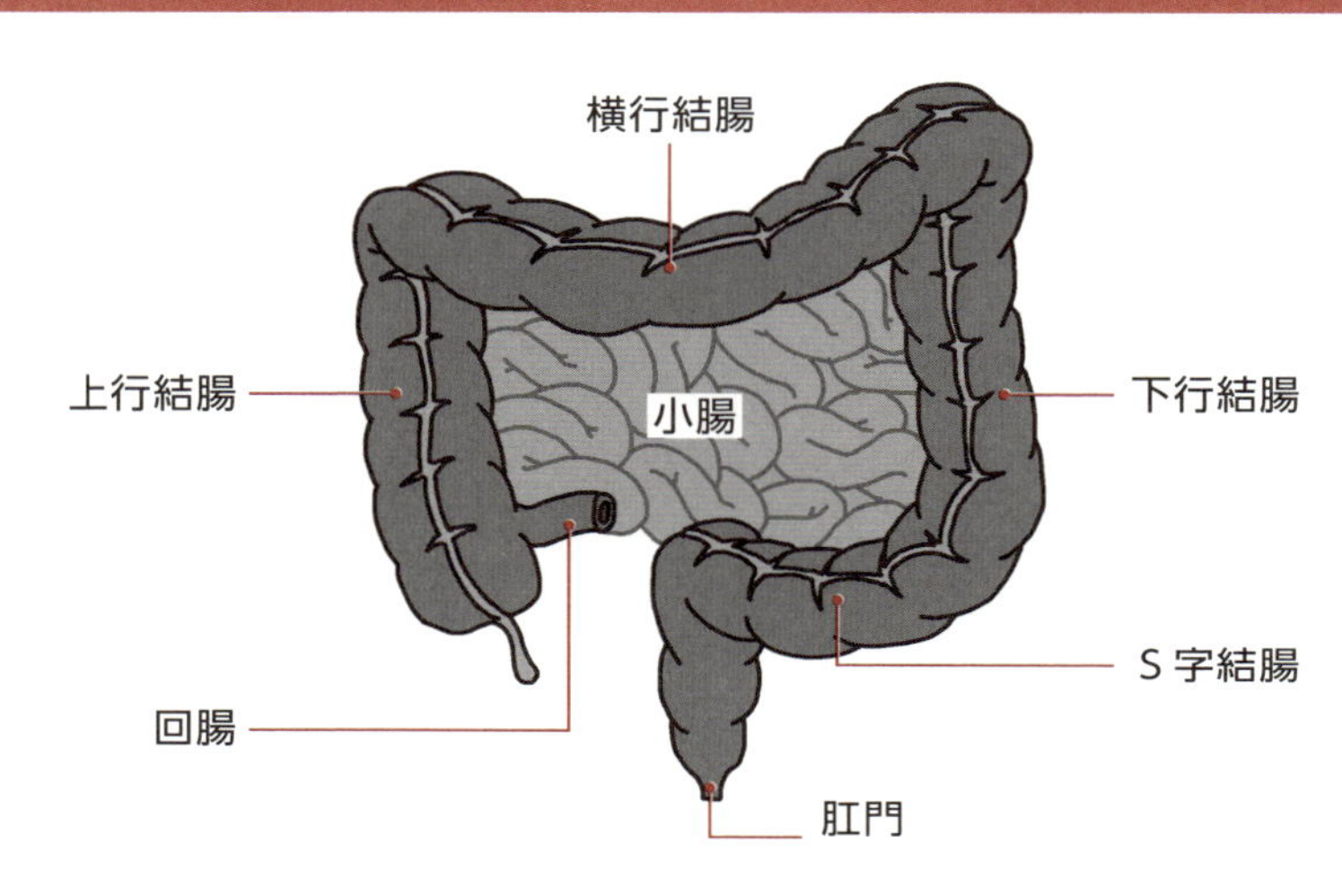

腸の形から運動が不足すると便秘と下痢になる「体質」の「腸管形態型ＩＢＳ」

大腸の形に問題があるタイプです。私はこのタイプを「腸管形態異常型（腸管形態型）」と呼んでいます。腸のねじれに引っかかっていた固い便の栓が取れると下痢になる場合が多く、便秘型と便秘と下痢を繰り返す混合型のほとんどは、このタイプに当てはまるようです。

じつは、日本人の大腸は医学書のように四角い形をしているとは限りません。人の顔が一人ひとりちがうように、おなかの中の腸も千差万別。腸が曲がりくねっていたり、ねじれている人はたくさんいます。むしろ、ほとんどの日本人はねじれていると言ったほうが正確かもしれません。

ねじれ腸

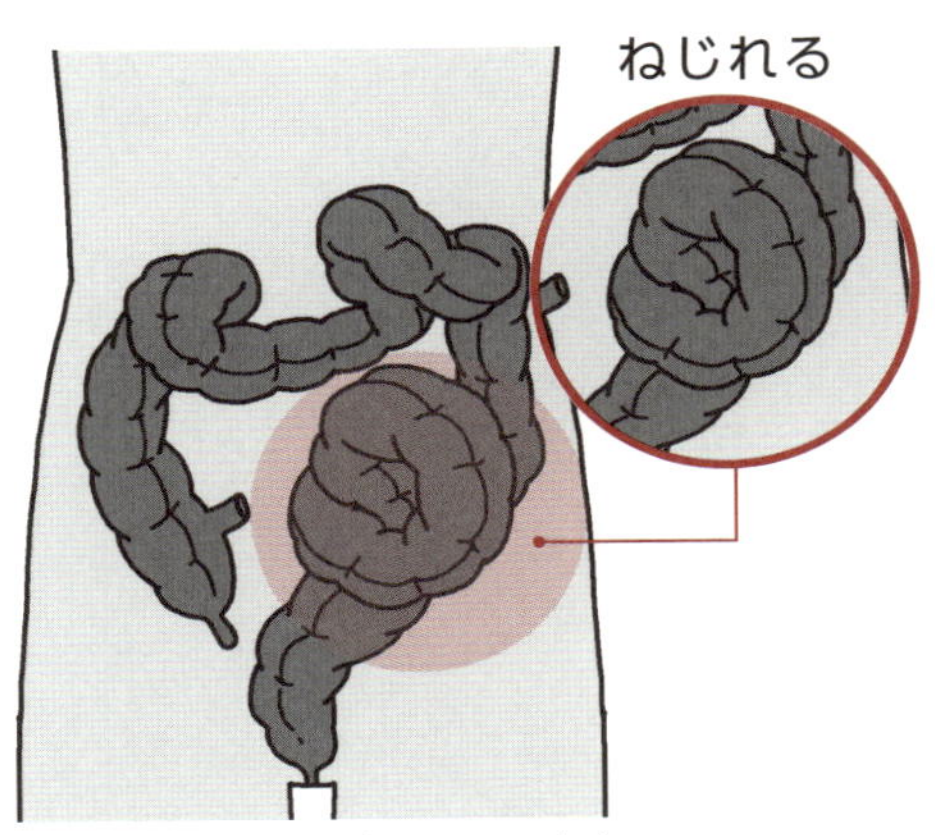

大腸が曲がりくねっていたり、ねじれています。

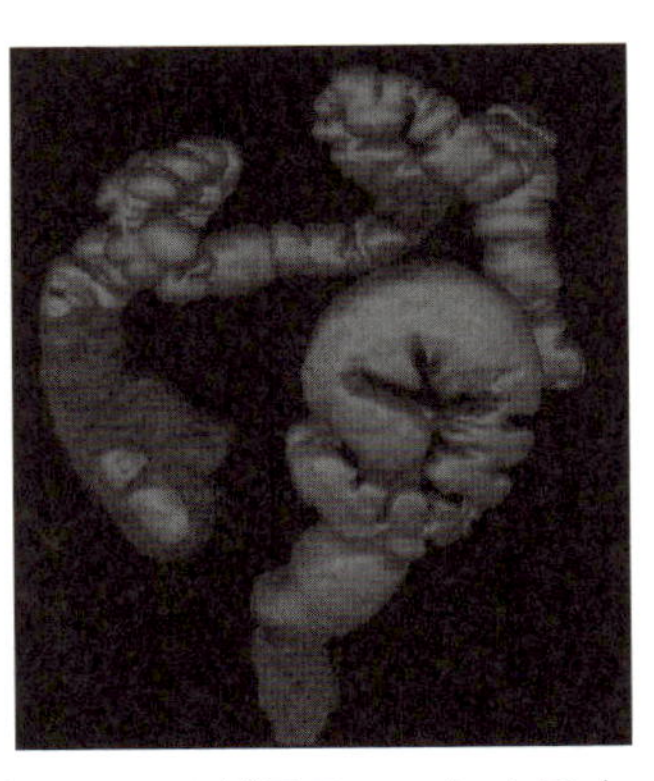

CT コロノグラフィーによる大腸の立体画像。腸が複雑にねじれていることがわかります。

メディアではねじれた大腸を「ねじれ腸」と呼びましたが、ねじれがとくに問題になるのは、S状結腸や下行結腸、あるいは横行結腸と下行結腸の境目など大腸の後半部分で、一ヵ所のこともあれば、複数ある人もいます。

もう一つ、大腸の構造の異常で多く見られるのが「落下腸」です。文字どおり、大腸が骨盤の中に落ち込む状態で、医学的には「総腸間膜症（そうちょうかんまくしょう）」と言います。

この落下腸は先天的ですが、女性では臓器を支える筋肉の力が弱いことも関係しているかもしれません。急激なダイエットや出産によって、さらに深く骨盤内に落ち込んで問題になることも多いようです。

腸がねじれていたり落ち込んだりしていても、それだけで問題が起こるわけではありません。例えば、上行結腸や横行結腸のあたりがねじれて細くなっていても、この部分を通る便は、まだ水分をたくさん含んでやわらかい状態ですから、中が少しくらい細くなっていてもスルスルと通ることができます。

ところが、下行結腸にさしかかると、便は水分が吸収されて固くなってきます。すると、ねじれた部分に便が引っかかって通過できなくなり、便秘を引き起こすのです。

このとき、便を先に押し出そうとして大腸のぜん動運動が活発になると、おなかの痛みや不快感が生じます。また、腸は便を押し流そうとして便の水分量を増やすようになるため、詰まっている部分の上流には、ゆるい便がたまってきます。

そして、何かのはずみで詰まっていた便がポンと抜けて便秘が解消すると、そのうしろにたまっていた水分の多い便が排出されるために、下痢が起こります。これが、腸管形態型ＩＢＳで便秘が起こったり、便秘と下痢を繰り返すようになるしくみです。

腸の形に原因があるため、ストレスとは無関係に発症します。

ちなみに、ねじれ腸や落下腸の患者さんの内視鏡検査では、内視鏡を通すのにとても苦労します。私の外来はもともとＩＢＳのなかでも特にむずかしい患者さんがいらっしゃるのですが、じつは一般の健診でも、簡単な人はさほど多くありません。私は、医学書どおりの四角い腸なら、肛門から盲腸まで約２分で内視鏡を入れることができますが、そんな

落下腸

横になっていると……

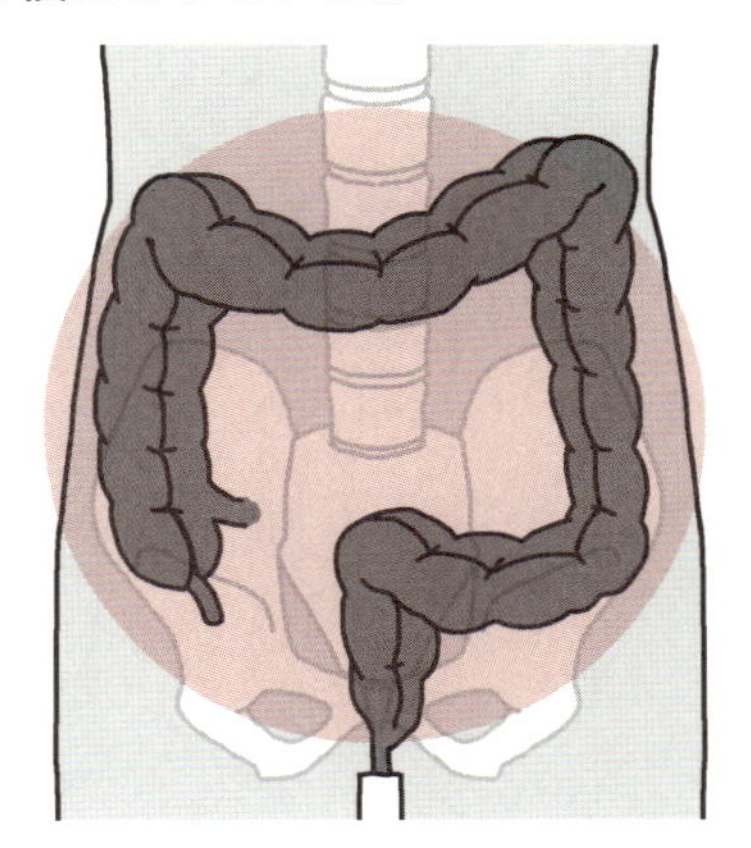

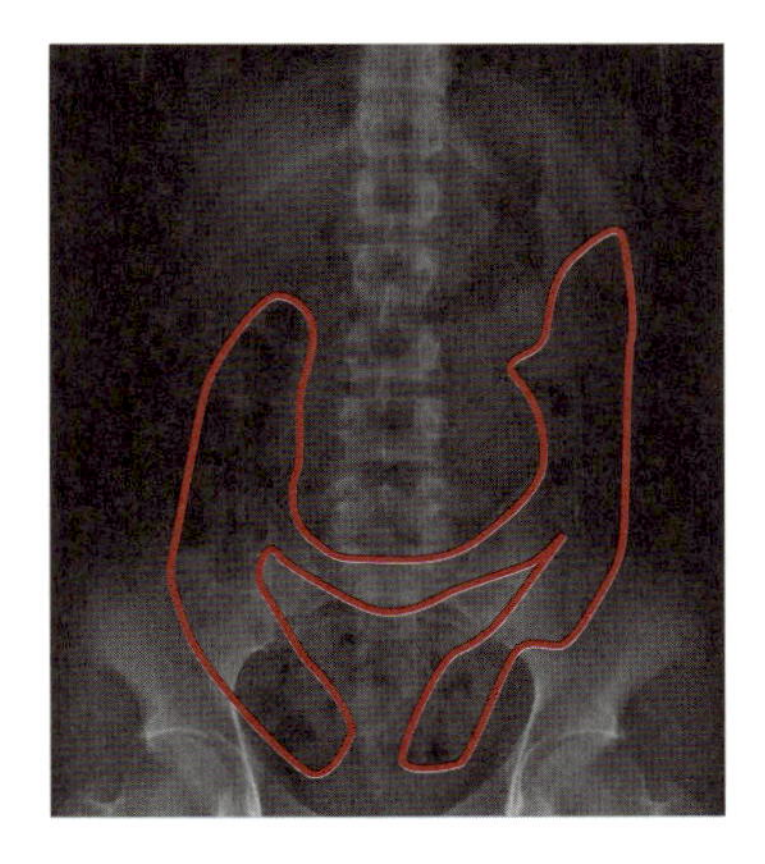

あお向けに寝た状態では、大腸が広がって、比較的正常な位置に戻ります。

立っていると……

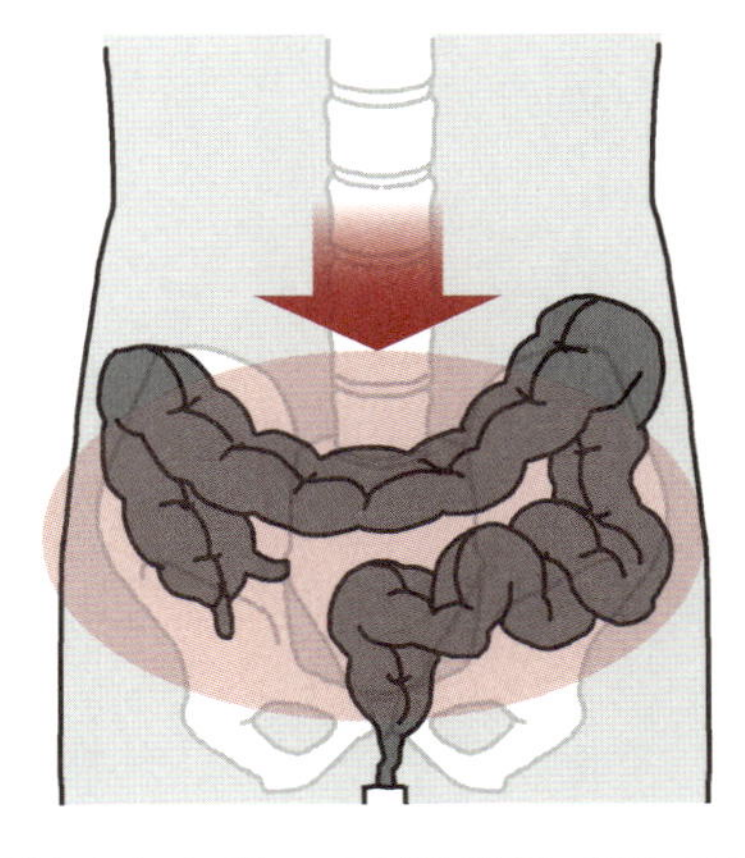

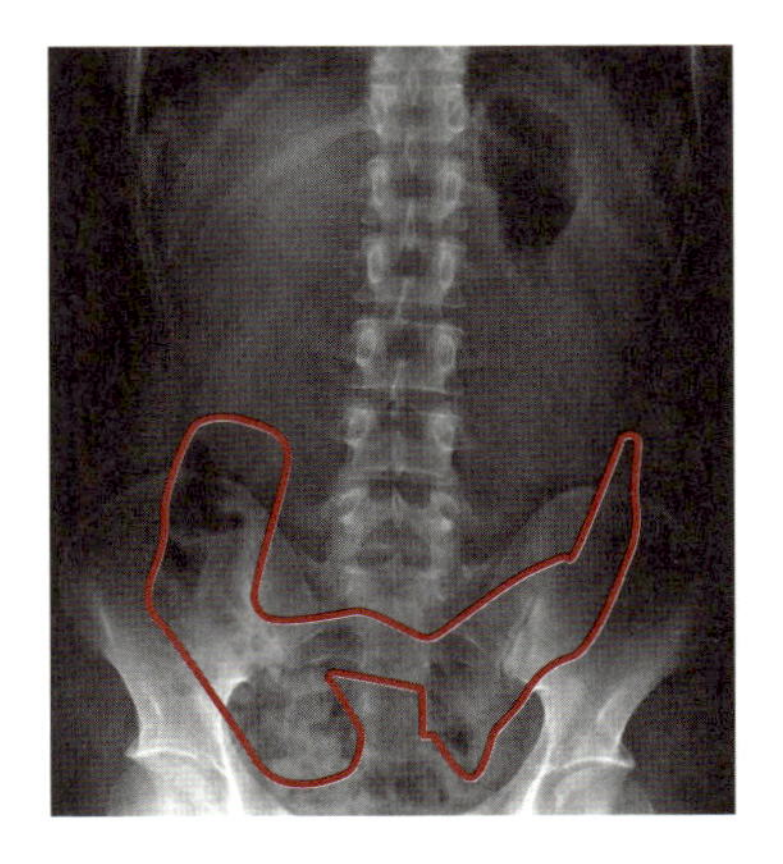

重力にしたがって大腸が下に落ちてしまい、骨盤内にはまり込みます。

人に当たると「今日はいいことがありそうだな」と感じるほどです。

以前、慶應義塾大学医学部の解剖学教室で大腸を調べたところ、約8割がねじれ腸でした。大腸検診の患者でも、実際に内視鏡を2分で入れられるのは2割ほどの患者さんですから、この数字には納得しています。

食事をすると胆汁が原因の下痢を起こす「体質」の「胆汁性下痢型ＩＢＳ」

胆のうから分泌される消化液である胆汁が原因で、食後の下痢を起こすタイプです。胆汁の一成分である胆汁酸は大腸から水分を分泌させ、大腸を動かす「体内下剤」としての作用を持ちます。

胆汁酸の大部分は小腸の末端で再吸収され、大腸に届く胆汁酸は5％程度です。

食事をとると、消化のために胆のう内にためられた胆汁が十二指腸で分泌され、早ければ食後20～30分ほどで大腸に到達します。そのため、このタイプのＩＢＳでは食後すぐ、早い人では食事中から便意をもよおすようになるのです。食事を抜くと下痢をせず、食事をとるとひどい下痢になる人は、この胆汁性下痢型ＩＢＳの可能性があります。

ほとんどの人は、胆汁が分泌されても問題は起こりません。ところが、胆汁性下痢型ＩＢＳの患者さんは、大腸に届く胆汁の量が多いか、あるいは、胆汁に対する感受性が高いようです。そのため、通常なら問題にならない胆汁に強く反応してしまうのです。

食事をすると下痢になる、と聞くと、油っぽいものをたくさん食べたからではないか、とか、食事が合わないからではないかと考えがちですが、胆汁性下痢型ＩＢＳの場合は状況が異なります。食事の内容に気を配っていても、食事をすれば必ず胆汁は出ますから、胆汁性下痢型ＩＢＳの人は下痢が起こってしまうのです。

胆汁性下痢型ＩＢＳの患者さんは、総人口の1％くらい存在すると言われ、下痢型ＩＢＳの約30％を占めるとされます。

ただ、以前は虫垂炎（ちゅうすいえん）の手術の合併症としてしばしば起き、「胆汁性下痢」として今よりは知られていました。虫垂を切除する際に小腸の一部までいっしょに切除すると、胆汁酸が再吸収されなくなり、大腸に届きやすくなって下痢をしやすくなったのです。ところが、現在では虫垂炎を手術することがほとんどなくなったため、合併症としての胆汁性下痢も少なくなり、忘れられてしまったのです。

消化吸収不良で下痢やガスを起こす「体質」（消化吸収不良型）

体質により、食品に含まれる特定の成分がおなかの張りや痛み、下痢などを招き、IBSが起こる場合があります。最近、その原因となる食品を制限する「FODMAP（フォドマップ）制限療法」が登場し、注目されるようになっています（168ページ参照）。

久里浜医療センターの下痢型IBS患者さんの約5％、ガスがたまる症状で困っている方の約10％を占めます。小麦を含めた食事制限で回復します。海外と比べて日本国内ではかなり少なく、診察したことがないという医師も多いです。

IBSは「わかりやすい病気」と知ってほしい

こうしてみると、IBSのなかでもストレスが関与しないものがかなり多く含まれていることがわかります。

ただし、〝イライラ腸〟のためにストレスが高じて、しだいにストレス型IBSの特徴を満たすようになる患者さんもいらっしゃいます。第1章で紹介したCさんもそのタイプです。おなかの痛みと下痢を繰り返して、日常生活に支障を来すのは、本人にとって深刻な悩みで、それ自体が大きなストレスになります。

しかも、IBSの患者さんは、第1章で紹介したAさんのようにしばしば周囲の無理解や誤解に悩まされます。「下痢なんてたいしたことではないだろう」「ちょっとしたことで大騒ぎしている」「気のせいではないのか」などといった理解のなさからくる対応にあい、ストレスが関与しないIBSだったとしてもしだいに強いストレスを感じるようになる人もいるのです。

こうして、二次的にストレスを抱えた患者さんが「IBSといえばメンタルケア」という従来の治療を受けている場合、ストレスによって悪化している部分の症状は緩和されますが、もともとの腸のトラブルは解決されません。

そのため、治療を続けても根本的に治すのはむずかしいというイメージを、医師も患者さんも持ってしまっているようです。

私は、IBSの治療はけっしてむずかしくない、ほとんどが「ストレス型」「腸管形態型」「胆汁性下痢型」の3つに加えて、まれに「消化吸収不良型」に明瞭に分類されるので、むしろ「IBSの治療はわかりやすい」と考えています。そして、「わかりやすい」ということを患者さんにもっと知ってほしいと思っています。

●IBSは子どもにはなく、思春期から起こる

IBSは大人の病気、というイメージがありますが、実際には少し異なります。発症するのは、もう少し早く、思春期からです。人間は思春期に子どもの体から大人の体へと大きく変貌を遂げます。精神や神経、体の構造が大きく変わることで、ストレスによるメンタルの病気やIBSが出てくるのです。

思春期は年齢の明確な定義はありませんが、医学的には「第二次性徴の発現の始まりから成長の終わりまで」と定義され、男子では精巣が発達する10歳前後から、女子では乳房が発達する9歳前後からとされています。

たしかに、今は子どもといえども学校に塾、習いごと、友人関係や進学の悩みと、大人顔負けに忙しく、悩みも少なくないと思いますが、8歳より前に、特にストレス型のIBSになることはほとんどありません。

IBSのうち、ねじれ腸などの大腸の形は生まれつきのものだから、子どものうちからなるのではないか、と思う人もいるかもしれません。たしかに、子どもでも極端なねじれ腸や落下腸で運動不足の場合、便秘や下痢になることがあります。ただ、子どもは大人よ

りも活動的なことなどもあって、軽度のねじれ腸ではおなかのトラブルは起こりにくいようで、思春期前の小児にはIBSの診断基準もありません。

むしろ子どもの場合、先天的なお尻の構造や、「幼稚園や学校でトイレをがまんする」ことによる、未就学児に多い直腸性便秘のほうが、より大きな問題です。

内視鏡検査でわかった、腸の異常とIBSの関係

私がIBSに興味を持つようになったきっかけは、内視鏡検査です。もともと内視鏡検査法を開発するなど内視鏡検査が専門で、数多くの患者さんの大腸の内視鏡検査を行っていた私は、非常に検査がむずかしい患者さんの多くが、IBSを経験していたり、しつこい便秘に悩まされたりしているのに気づいたのです。

ここで、内視鏡検査について少し説明しておきましょう。大腸の内視鏡検査は、肛門からさかのぼるようにして盲腸まで、内視鏡を送り込む検査で、医師の立場としてはむずかしい検査、患者の立場としては苦痛の強い検査とされています。

内視鏡を操作する医師にとって、最初の難関はS字クランクのように曲がりくねったS状結腸です。私はここに内視鏡を通すのを容易にした「浸水法」という方法を2003年

に開発しました。
S状結腸を通過した後は、広い結腸をまっすぐに進めばいい……はずで実際、海外では
そのとおりなのですが、日本ではなかなかそうはいきません。
その理由が、ねじれ腸や落下腸です。内視鏡をまっすぐ進められないだけはなく、腸が
ねじれたり折れ曲がったりしてたたまれていると、中が狭くなって通りにくくなります。
検査に時間がかかりますし、内視鏡が腸を引き伸ばして痛みも出ます。
また、ねじれ腸や落下腸で内視鏡検査がむずかしい患者さんのほとんどが、がんこな便
秘や腸管形態型ＩＢＳに悩まされていました。
また、一部の患者さんでは、腸の動きを抑える薬を使っていても、内視鏡を挿入すると、
大腸がギューっと激しく動き出す人がいるのです。患者さんはおなかがけいれんするよう
な痛みを感じますし、腸の動きを抑える薬を追加しても腸の動きは止まりません。そのよ
うな患者さんにくわしく話を聞いてみると、以前ＩＢＳだったとか、現在もＩＢＳで悩ん
でいる、という人ばかり。
ストレス型ＩＢＳの患者さんでは、このように、検査自体のストレスで、ＩＢＳ特有の
腸の発作が誘発されるのです。

「外野」だからこそ気づいた、IBSのタイプ

今でこそIBSの治療に携わっていますが、当初私はIBSにはそれほど関心がありませんでした。しかし、大腸内視鏡検査法を開発する過程で、「原因がない」とされてきたIBSに、腸の形や、ストレスによる腸の動きなどに異常があって、検査を難しくしているとともにIBSの原因になっていることに気づくことができました。

IBSの原因は臓器の異常ではなく、ストレスが関与する機能的疾患と考えられ、IBSでは「検査で異常が見つからない」とされていました。しかし、内視鏡検査で異常がないとは「腫瘍（しゅよう）」や「炎症」がないということです。その検査のプロセス全体を見ると、IBSの原因となる異常があったのです。

原因がわかれば、治療方針も対処法も具体的に立てることができます。病名ではなく、原因に対する治療を行う。IBSも例外ではありません。

腸の運動であれ、腸の形であれ、胆汁であれ、原因をしっかり見極められれば、適切に、そして容易に治療できるのです。

●IBSのタイプによって、症状が少し異なる

IBSでは、排便状況の変化に伴い、反復する腹痛が起こります。ただ、その状況はIBSのタイプによって少し異なります。

また、いくつかのIBSのタイプを重複して起こることがあり、症状を複雑なものにしています。

ストレス型IBSの症状

第一に挙げられるのが、下痢です。電車乗車や会議など特定のきっかけによって下痢が引き起こされる場合がほとんどで、患者さん自身がそのきっかけを認識しています。また、数は少ないのですが、便秘が起こる場合があります。

痛みも起こります。ストレス型IBSの人では、ストレスが加わると、腸がギューギューと強く動く発作を起こし、下痢と同時に非常に強い痛みが起こります。

症状が日によって異なる人が多いのも特徴です。下痢を招くきっかけがないときは症状が起こらなくなるためです。

ストレス型ＩＢＳの症状

きっかけがあると……

腹痛を伴う激しい下痢に悩まされます。そのこと自体がストレスになって悪循環を起こします。

きっかけがないときは……

休日でリラックスしていたり、下痢を引き起こすきっかけがないときには、症状が起こりません。

例えば通勤で電車に乗ったり、会議に出たりなど、会社に関係したできごとがストレスになっている人は、休日に家でゆっくり過ごしているときには、症状は起こりません。

また、ストレスを打ち消す別の要素があれば、症状が出なくなるようです。というのは、私の外来にいらっしゃるストレス型ＩＢＳの患者さんのなかに、診察時には症状が出ない人が少なからずいるのです。

長年ＩＢＳで苦労していろいろな医療機関をわたり歩いた患者さんが、診察に来たときには「ここで治ると聞きました」という、その期待感だけで電車乗車などのストレスが打ち消されることがあるようです。

腸管形態型ＩＢＳの症状

便通に関連した症状

- 腹痛を伴う主に便秘、そして下痢
- 便秘と下痢を繰り返す
- 原因となるストレスの心当たりはない

便が何日も出ないと思うと下痢になる、という状態です。

消化器症状

- 胃の痛みや膨満感
- 吐き気や胸やけ

腸管形態型ＩＢＳの症状

腸管形態型ＩＢＳの特徴は、生活変化や運動量の低下などがきっかけで、便秘と下痢を繰り返すようになるということです。ねじれ腸や落下腸のために便が通りにくく、詰まってしまうために起こります。ただし、便秘の症状が強く出る人と、便秘よりもそのあとの下痢症状に苦しむ人など、個人差があるようです。

腸管形態型ＩＢＳの場合、便秘のために、胃などの上部消化管に症状が出やすいのも特徴です。大腸で便が詰まっているために、消化したものの流れが妨げられて、より上のほうに逆流して影響が及んでしまうのです。食欲がわかない、胃がもたれる、胸やけがする、おなかが張った感じ（腹部膨満感）がする、などと訴える人もかなり多くいます。なかには、逆流性食道炎になっている人もいます。

こうした不快な症状は、胃薬などではなかなか改善されず、便秘が改善するとすみやかに解消します。便秘に伴っていろいろな消化器症状が起き、便秘が解消するとほかの症状もよくなる、つまり、大腸の形態が一因となっているのです。

また、このタイプのＩＢＳの患者さんは、ストレス型と違って、休むと症状が悪化するという厄介な特徴があります。大腸の形態のために便が詰まりやすくなっている場合は、体を動かして腸を揺らして、便通を促す必要があります。ところが、便秘や腹痛で体調がよくないからと安静にしていると、便が通りにくくなって、ますます具合が悪くなってしまうのです。

また、便秘だからといって下剤を使う人が多いのですが、下剤が大きな問題を引き起こすことがあります。

下剤の多くは大腸を刺激して、大ぜん動を起こして便を押し出そうとします。ところが、腸管形態型ＩＢＳの便秘は、大腸の構造によって詰まっているだけで、大腸の運動は正常なのです。腸がねじれて通りにくいところに下剤で無理に腸を動かすと、腸閉塞（ちょうへいそく）（腸が詰まってしまう病気）のような状態になって、おう吐したり、ひどいときには強い痛みで失

胆汁性下痢型ＩＢＳの症状

■ 食事をするとすぐに下痢が起こる

食事と関連してすぐに下痢が起こります。食事の内容にかかわらず、おなかに食べ物が入っただけで下痢になります。

■ 朝に特に調子が悪い

朝食後に激しい下痢におそわれることが多くなります。夕食から朝食までの長い時間にためられた胆汁が朝食をとると一気に分泌されるからと考えられます。

神する患者さんも少なくありません。

市販の下剤で腹痛があった人や、健康診断などで使うバリウムでひどい便秘に陥った、という人が多いのが特徴です。

胆汁性下痢型ＩＢＳの症状

胆汁性下痢型ＩＢＳの最大の特徴は、食事と下痢が密接に関係していることです。特に、朝は夕食後から朝食前までの長い時間胆汁がためられているので、胆汁の影響が強く出やすく、朝食後はひどい下痢になります。

ちなみに食事を抜くと胆汁が出ませんので、症状が出ません。食事を抜く必要のある健康診断のときなどには、症状がないのが特徴です。

消化吸収不良型IBSの症状

このタイプは、消化不良の下痢とガスが症状です。小麦を含む発酵性糖質（FODMAP）や脂質の消化吸収不良で起こります。

食物に対する消化吸収不良の体質なので、自身の体質では消化が不得意な食事を制限する必要があります。

症状への不安から、生活のいろどりが少なくなりがち

これまで3つのタイプを述べてきましたが、おなかの痛みや不快感の症状が長引くと、生活にも支障が出ますし、気持ちも落ち込みがちになります。症状のために仕事や学業が思うようにいかなくなって、自分に自信を持てなくなり、何事にも前向きに取り組めなくなります。学業や就労にも影響があるという方も少なくありません。

また、トイレに行きたくなったら……とか、間に合わなかったらどうしよう……などという不安感から、外出をためらうようになったり、旅行や外食を楽しめなくなったりする場合も少なくありません。

呑気症の症状

ゲップやおならが多くなる

おなかの中に入った空気が多すぎて体内に吸収されず、排出されます。

胸やけ

ゲップといっしょに、胃の内容物が上がってくると、吐き気や胸やけを伴います。

胃の不快感

胃が張った感じになったり、痛みや違和感をまねきます。

おなかがグルグル鳴る

腸の中を空気の泡が移動するときに、グルグルと音が鳴ります。

病気でつらいだけではなく、病気のために生活を制限せざるをえなくなり、楽しみが少なくなってしまうのも、ＩＢＳの大きな問題といえるでしょう。

ゲップやおなら、おなかの音などに悩む人も多い

ＩＢＳの患者さんのなかには、ゲップやおならがよく出て困っていたり、おなかの音が大きいので恥ずかしい……と悩んでいる人がかなりいます。「ガス型のＩＢＳ」と言われている患者さんもいるようです。これらは、厳密にはＩＢＳの症状ではないのですが、非常に合併しやすいものです。

これらの症状の多くは、呑気症によって起こります。医学的には「空気嚥下症」と呼びます。

空気を吸うのではなくて飲み込む、と聞くと驚くかもしれませんが、1回唾を飲み込むと約15ccの空気が胃に入るといわれています。通常であれば、体内に入る空気はごくわずかなため、自然に吸収されるか、静かに排出されるかで問題にはなりません。しかし、呑気症の人は、体内で処理できる以上の空気を飲み込んでしまうため、ゲップやおならとして出てきてしまうのです。また、空気がおなかの中にたまると、「おなかが張る感じ（腹部膨満感）」や不快感を招きますし、たまった空気が移動する際に、胃や腸の中でグルグルと音を出すことがあります。

ゲップもおならも、おなかの音も、それ自体には痛みなどはありませんが、自分でコントロールするのがむずかしく、患者さんの精神的な苦痛はかなり大きく、そのストレスで生唾が沸いて、飲み込むと空気も一緒に入っておならのもとになり、おならがストレスを悪化させるという悪循環に陥る原因になるのです。

呑気症には、早食い、大食いなどの食べ方、呼吸のクセや歯のかみ合わせも関係していますが、最も大きな原因はストレスです。

ちなみに人間は就寝中にはほとんどつばを飲み込まないため朝起きたときにはおなかの張りが少なく、夕方にかけておなかが張ってくるのが呑気症の特徴です。

ＩＢＳでゲップやおならに悩む人が多いのは、病気のストレスから呑気症になっている人が多いようです。実際にＩＢＳが治るとガスの問題も解決することがほとんどです。

そして呑気症を解消するには、「早食いなどのクセを改める」「歯のかみ合わせを治す」などが効果を発揮する場合もありますが、やはり、元となるストレス、すなわちＩＢＳを改善することが重要です。

呑気症だけの場合はより治療は簡単です。「生唾を飲み込んでいること」、そして「生唾を飲み込むことがガスの原因になっていること」を認識するだけで十分、生唾を飲まないようにしようなどと思う必要はありません。

人間の体は精密なコンピューターで、自己修復機能を持っています。やっていることが間違っていると教えてもらうだけで、徐々に修正する能力を持っているのです。

痛みの症状は、必ずしも悪いことだけではない！

ＩＢＳのつらい症状に悩んでいる患者さんに、「症状はつらいことばかりではない」と言ったら怒られるかもしれませんが、ＩＢＳのいろいろな症状のなかでも、医学的に非常に「意味のある」症状があります。それが、おなかの痛みです。なぜかというと、痛みは大腸が動いているサインだからです。

痛みは大腸が動いているサイン

痛みがある便秘

ＩＢＳの便秘の場合、大腸が便を押し出そうとして痛みがあります。

痛みのない便秘

痛みのない便秘は、大腸の機能が低下している可能性があり、その場合は腸を動かすことから始める必要があります。

ＩＢＳの診断基準（45ページ）で、排便に関連する「反復する腹痛」を基準にしているのは、痛みのない「機能性便秘」と区別するためです。

痛みのない便秘は、ＩＢＳよりもじつはずっと厄介です。便秘などのトラブルがあるにもかかわらず、おなかが痛まないということは、本来動くはずの大腸が動かなくなっているということですから、まず腸を動かす必要があります。これは治療がむずかしく、時間もかかります。

私からすると、痛くない便秘を治すのは、ＩＢＳを治すよりもずっとむずかしい。このことも、私が「ＩＢＳはわかりやすい病気で御しやすい」と声を大にして患者さんに伝えたい点の一つです。

コラム　国がちがえばおなかの中もちがう？

　ねじれ腸のうち、手術が必要になるのがＳ状結腸に特殊なねじれがあるケースです。通常、Ｓ状結腸はおなかの中で時計回りのらせん型をしていますが、まれにこの部分が反時計回りになっている人がいます。すると、何かのひょうしに腸がクルリと“バルーンアート”のようにねじれて「Ｓ状結腸軸捻転（じくねんてん）」という腸捻転になることがあります。ほうっておくと命にかかわるので、以前は苦労して内視鏡で治療して、うまくいかない場合は緊急手術が必要とされるケースもありました。

　ところが、私が開発した「浸水法」なら、内視鏡の経験のあさい研修医でもＳ状結腸のねじれを解消できます。以前はむずかしかったＳ状結腸軸捻転の治療が簡単に行えるようになったのです。

　さて先日、ドイツで内視鏡検査法の講演を行ったときに、「浸水法」だとこんなに簡単に治療ができると説明したところ、おおいに盛り上がっていた場内がシーンと静まり返りました。不思議に思ってあとでベテランのドイツ人教授に聞いてみたら、「Ｓ状結腸軸捻転の患者さんは一人しか見たことがない、ドイツでは非常にめずらしい病気です」と言われてしまいました。道理でウケなかったわけです。

　私もドイツ滞在中に内視鏡検査をたくさん行いましたが、ねじれ腸・落下腸の患者さんはほとんどいませんでした。国や人種がちがうとおなかの中までちがうのだなあ、と実感したものです。

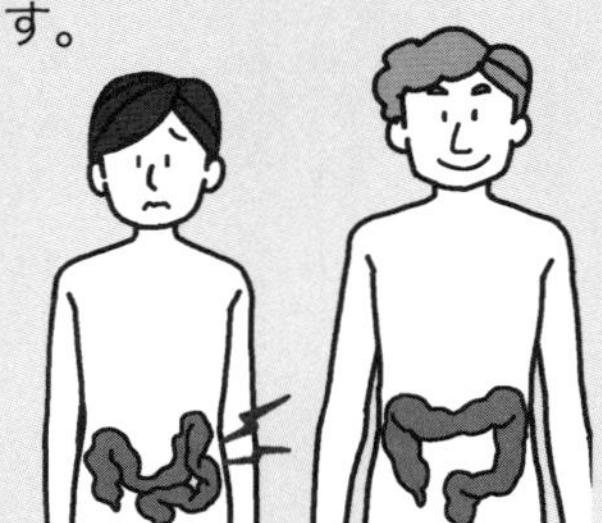

第3章

IBSと診断されるまで

ほかの病気との鑑別が重要

知っているようで、意外と知らない腸のしくみ

下痢や便秘などの便のトラブルを抱えていると、とかく〝出口〟ばかりを気にしがちですが、そもそも、私たちが食べたものは、どのようにして便になり、排出されていくのでしょうか。ちょっと遠まわりですが、まずは私たちの消化器のしくみを見てみましょう。

私たちは、まず食べ物を口に入れ、かみます。おいしいものを食べると唾液が自然に出てきますが、唾液には消化酵素であるアミラーゼが含まれています。「口の中でよくかむ」のは、消化活動の始まりなのです。

かみくだかれ、飲み込まれた食べ物は、食道を通って胃に運ばれ、しばらく蓄えられます。この間、胃では、食べ物が胃のぜん動運動で胃酸に混ぜられて、消化しやすいドロドロの形状になっていきます。よく、胃で消化が進むと考えている人がいますが、胃では消化はあまり進みません。むしろ、食べたものを一時的にためておく袋としての働きが主で、消化が効率よく進むように少しずつ食べたものを送り出す役割を担っています。

胃から送り出された食べ物は、小腸の入り口にあたる十二指腸で、胆汁と膵液（すいえき）と混ざり合います。この2つの消化液によって、本格的に消化が進んでいきます。胆汁に含まれる

消化器のしくみ

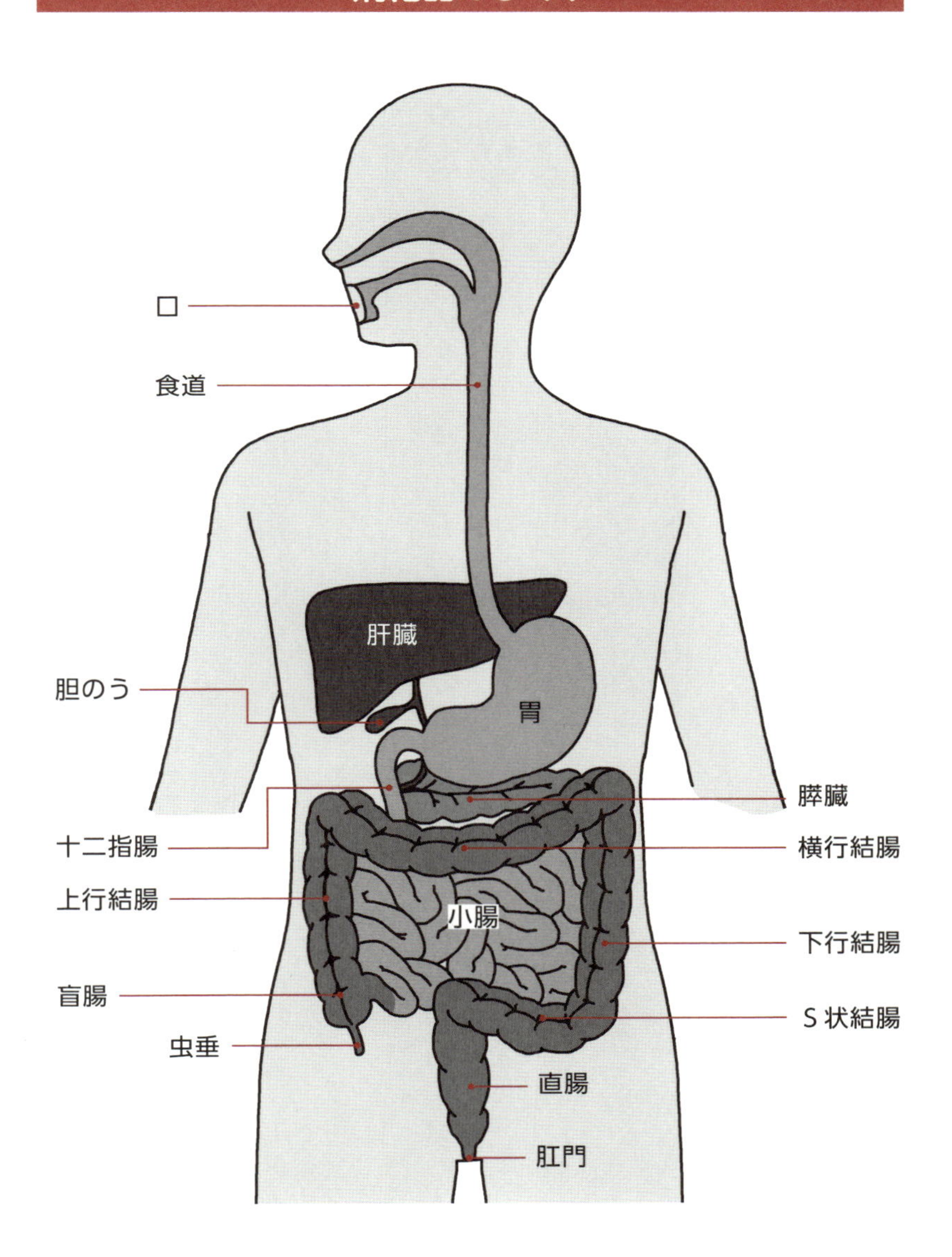

胆汁酸は脂肪の分解にかかわりますし、膵液には、糖質、脂肪、たんぱく質の分解にかかわる消化酵素が含まれています。消化液の働きによって、食べたものはより細かな成分へと分解されていき、小腸を通る間に必要な栄養素が吸収されていくのです。

小腸を通り抜けて大腸までたどり着いたものは、必要な栄養素を取り除いた〝残りかす〟で、便の材料です。このときは、まだたくさんの水分を含んでドロドロの状態ですが、大腸の中を運ばれていくとき、主に横行結腸で水分と残りの電解質（ナトリウムやカリウムなど）が吸収されていきます。

このとき、大腸は内容物を先に送り出すだけではなく、逆行させるような運動をすることがわかっています。便は、大腸の中を行ったり来たりしながら、少しずつ水分を取られ、塊となっていくのです。

大腸の中で一時停止している便を先に進める青信号になるのが、次の食事です。まず胃の中に食事が入ると「胃腸反射」で腸が動き出し、胆のうから分泌された胆汁が大腸に届くと、便を先に進める運動を始めます。そして、便がS状結腸に到達するとぜん動運動が止まり、一定量になるまで、S状結腸にためて置かれます。

S状結腸から直腸に便を進めるぜん動は、大腸のほかの部分とはちがって1日に数回ほどしかありません。こうして、S状結腸、さらに直腸で一定量にまで便がたまると、直腸の壁が伸びて、その情報が脳に伝わり、「排便反射」を起こします。この反射があって初めて、私たちは便意を感じます。

このとき、すみやかにトイレに行って準備万端整うと、最後に大きなぜん動が起こり、排便に至るのです。

口から肛門へ至る一連の消化活動は、いろいろな神経の働きによって微妙に調節されています。しかし、大腸の運動を見てみると、私たちの行動が、大腸の運動にかなり影響を及ぼしていることがわかります。食事が大腸の運動を開始させるシグナルになりますし、睡眠中は、便意をもよおさないように横行結腸やS状結腸の運動は低下しています。

IBSの診断は最後に下される

この道筋のどこかに異常が起こると、さまざまな症状が現れます。特に下痢や便秘の場合は、小腸や大腸（下部消化管）に原因があることが多く、症状が続く場合は、腸の病気を疑ってさまざまな検査が行われます（検査については103ページ）。また腸の運動に影響を与える病気もあります。

82ページの図で、自分の当てはまる症状や状態をチェックしてみましょう。下痢や便秘

当てはまる症状や状態をチェックしてみよう

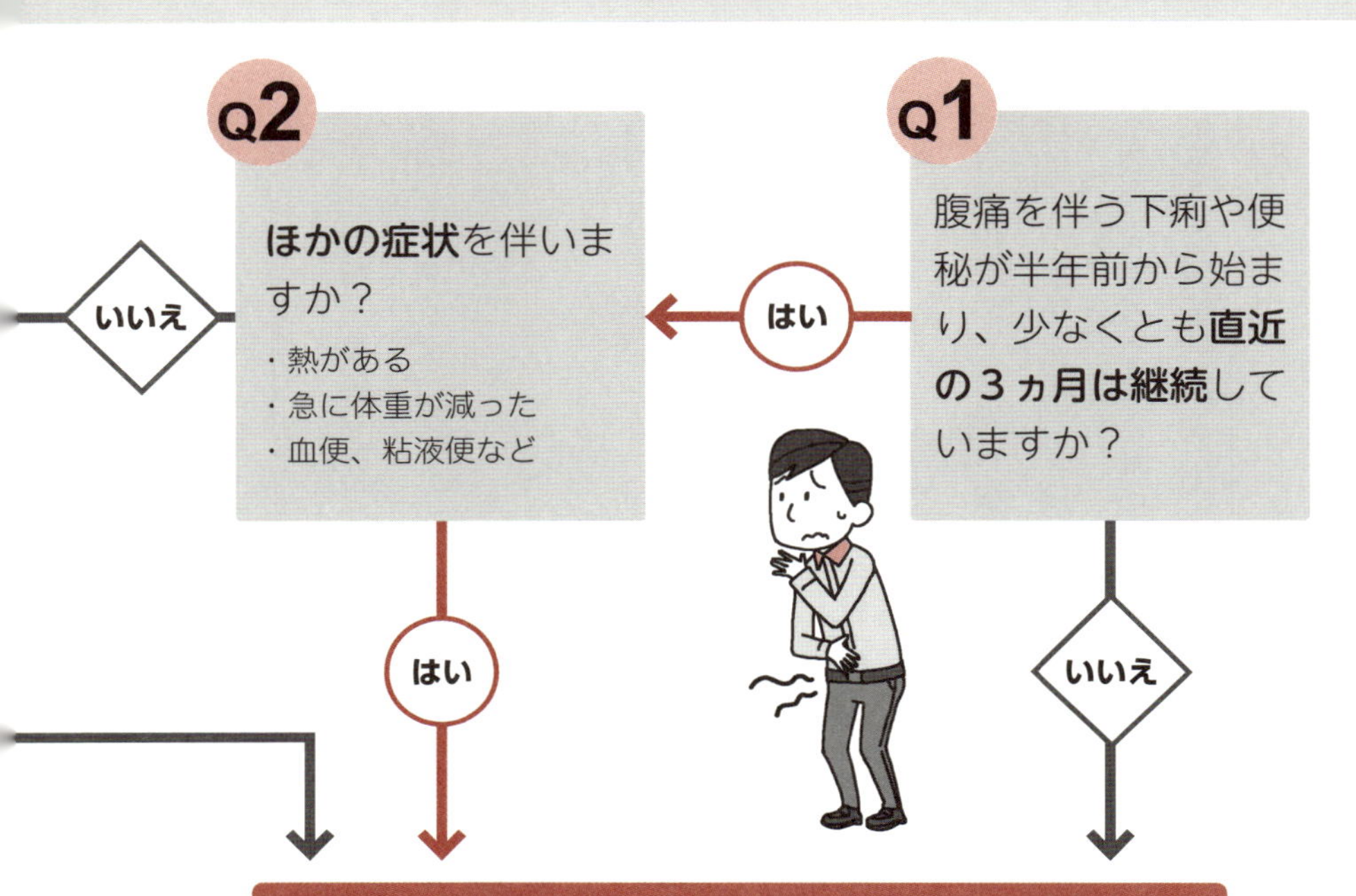

IBS以外の病気の可能性があります

ＩＢＳと似た症状を起こす病気はたくさんあります。まだ検査を受けていない場合は、医療機関で調べてもらったほうがよいでしょう。

急性の病気

- ウイルスや細菌による感染性胃腸炎
- 膵炎　など

慢性の病気

- 潰瘍性大腸炎
- クローン病
- 大腸がん　など

腸管以外の病気

- 糖尿病、膠原病（こうげんびょう）、甲状腺機能障害
- 膵炎、膵臓がん
- 腸に隣接する臓器の疾患　など

Q3

病院で採血や検便などの検査を受けて、**「異常なし」**と言われましたか？

はい →

IBSの可能性があります

第5章を参考に、自分でできるケアを試してみてください。２週間ほど続けて、改善しない場合は医療機関で相談を。

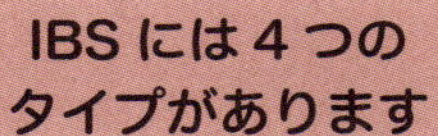

IBSには４つのタイプがあります

下痢型
軟便や水様便が25％以上あり、固い便やコロコロの便が25％未満。

便秘型
固い便やコロコロの便が25％以上あり、軟便や水様便が25％未満。

混合型
固い便やコロコロの便が25％以上あり、軟便や水様便も25％以上ある。

分類不能型
上記３つのどれにも当てはまらない。

いいえ →

注意！ 50歳以上は「がん危険年齢」

50歳を過ぎると、大腸がんなどのがんの危険性が高くなります。初期のがんは症状がないことがほとんど。下痢や便秘などの症状が改善しても、がん検診などでチェックしておきましょう。

で悩んでいる期間はどのくらいか、症状はどのようなものか、ほかの病気がかくれていないか……。小腸や大腸には、いろいろな病気が起こる可能性があり、ＩＢＳと似た症状を起こす病気もたくさんあります。しかも、命にかかわるものも含まれます。そうした病気の可能性を一つひとつ除外していって、最後に何も当てはまる病気がない場合に、初めて「あなたの病気はＩＢＳです」と診断できるのです。このような診断法を、「除外診断」と言います。

まずは、ＩＢＳと混同されやすい下痢や便秘について、それぞれの症状や対策を解説します。これらの病気を押さえたうえで、ＩＢＳの診断について見ていきましょう。

急に始まり、かつ、ほかの症状を伴う場合はすぐに病院へ

ＩＢＳでは、下痢や便秘自体がかなり重くても発熱、体重の減少などを伴うことはありません。「便秘や下痢が続く」という場合、「それ以外に症状が起こっているか」は、ＩＢＳとそれ以外の病気を見分けるうえで、とても重要な手がかりです。ほかに症状がある場合は、原因を調べ、適切な治療を受けなくてはなりません。

ＩＢＳの診断基準の中で、症状が半年前から始まり、少なくとも直近の3ヵ月以上続く

と定義しているのは、次にあげるようなウイルスや細菌による感染性腸炎などの急性の病気と混同しないためなのです。

ウイルスなどの感染症による下痢

下痢のなかでも急激に悪化する場合は急性胃腸炎の可能性があります。よく知られているのがノロウイルス感染症や、O-157などの病原菌大腸菌による感染性腸炎です。これらの病気による下痢やおう吐は、急に始まるうえにかなり激しいので、ほとんどの人が医療機関を受診すると思いますし、1ヵ月以上続くことはありません。

膵臓に炎症などが起こることによる下痢

膵臓は膵液という消化液をつくっている臓器です。膵臓に問題が起こって膵液が十分に分泌されなくなると、消化不良になって下痢が起こります。

急性膵炎はおなかや背中の痛み、吐き気、おう吐、発熱などを伴い、場合によっては命にかかわる恐ろしい病気です。また、膵臓の機能が低下する病気として、慢性膵炎や膵臓がんがあります。

腸に炎症が起こる「潰瘍性大腸炎」や「クローン病」

潰瘍性大腸炎は、その名のとおり、大腸の内部に炎症が起きて、ただれや潰瘍ができる病気です。下痢に加えて血便が見られます。発熱や体重の減少が起きることも多いです。免疫の異常や、ある種の細菌が原因と言われていますが、まだ不明な部分が多い病気です。

一方、クローン病は、内部に炎症が起こる点では潰瘍性大腸炎と似ていますが、症状の出る部位が大腸に限らず、口から胃、小腸、大腸に至るまでの消化管のどの部位にでも起こる可能性のある病気です。

潰瘍性大腸炎もクローン病も、自然治癒はほとんどなく、命にかかわる事態を招くこともあり、早期の診断と治療が重要です。

大腸がんでは、便秘と下痢、両方が起こる可能性がある

大腸の病気のなかでも特に注意が必要なのが、大腸がんです。大腸にがんや大きなポリープがあると大腸の中が狭くなって、便が通りにくくなります。便秘がちになるほか、便が細くなるなどの症状が現れる場合があります。

さらに病気が進んで大腸が細くなると、大腸が便の水分量を増やして通りやすくしよう

として、逆に下痢の症状が現れる場合があります。

大腸がんも、ほかのがんと同じように初期にはほとんど自覚症状がありません。そして便秘や下痢があっても、「痛みもないし、少し様子を見ようか……」と思っているうちに、ずるずると時間がたってしまうケースはけっしてめずらしくありません。

大腸がんなら血便が出るはず、血便ではないから心配ない、というのも要注意です。小さながんでは目に見える出血はほとんどありません。たとえがんから出血していたとしても、便の中に混入して判断がむずかしいことがあります。

特に大腸のなかでも上流にあたる、盲腸・上行結腸・横行結腸にがんができた場合、このあたりでは便はまだ水分が多い状態なので便秘が起こりにくく、しかも、出血があっても大腸を通ってくるあいだに血液が変性して黒くなり、かなり進行するまでわかりにくいのが特徴なのです。

大腸がんは遺伝の影響が強いとされていて、50歳以上で急増する病気です。血縁者に大腸の病気の患者さんがいる人、がん年齢といわれる50歳以上の人、もしくは40歳代でも検診や人間ドックなどを受診していない人は、たかが下痢、便秘と思わず、医療機関を受診することをおすすめします。

危険度が高くない、原因のはっきりしない下痢・便秘は医療では軽視されがち

ここまで説明した病気は、命にかかわるものだったり、早く治療を始めたほうがよい、重い病気です。一方、これらの病気ではない、つまり危険度は低いものの、原因がはっきりしない下痢・便秘で悩んでいる人はたくさんいます。

しかし、「下痢や便秘ごときで病院にかかってよいのか」と遠慮したり、検査そのものに対する不安や恥ずかしさから受診をためらう人も多く、緊急度の高くない便秘・下痢のために医療機関を受診する人はあまり多くありません。

また、受診しても十分な結果が出なくて病院に行かなくなってしまい、市販薬で紛らわしている人も多いのではないでしょうか。がんや炎症が原因ではない下痢や便秘は、医師からはあまり重要視されず、患者さんの悩みが深いわりに、治療が十分に行われていない現状があります。

ＩＢＳ以外で、よく見られる下痢や便秘の種類や原因、対応法を見てみましょう。

病気は見つからなかったが、たびたび下痢が起こる場合

病気ではないが、ひんぱんに下痢が起こるので困っているという場合、しばしば食べ物や飲み物が原因の下痢に陥っている可能性があります。

辛い食事や脂っこい食事をとったり、たくさん食べたりすると、下痢をしやすくなることはだれでも想像できるでしょう。いつもとちがう食事で、おなかをこわす、便がゆるくなるという経験は、どなたでもあるのではないでしょうか。

しかし、もっと身近な物で、じつは下痢の原因になるものもあります。

牛乳　乳糖不耐症による下痢

代表的なのが、牛乳です。牛乳は、おなかをゆるくするというイメージを持っている人が多いと思いますが、牛乳でおなかがゆるくなる人の多くは、「乳糖不耐症」の可能性があります。

牛乳には、「乳糖」という糖の一種が含まれています。「乳糖不耐症」の人は、乳糖を分解する消化酵素が少ないため、牛乳をたくさんとると、おなかがゆるくなってしまうので

下痢を起こしやすい飲み物

牛乳

牛乳を使ったメニューや加工食品は意外と多いので、牛乳が原因と気づきにくい場合もあります。

コーヒー

目安は一日３杯まで。喫茶店などで飲むほか、ペットボトルや缶の飲料でたくさんとりがちに。

アルコール

ビールなら350ml、日本酒なら１合が目安。たまに飲むだけでも、下痢するほど飲むのは体に負担をかけます。

す。乳糖不耐症は体質ですから、治すことはできません。ただし、まったく牛乳を飲めないほどの人は少ないので、牛乳をとりすぎないように気をつければ下痢は回避できます。

アルコール　じつは強い下剤作用がある

身近な食べ物が、下痢を招く例はほかにもあります。よく知られているのがアルコールです。アルコールは腸のぜん動運動を活発化させることが知られています。そのため、たくさんアルコールを飲んだあとは下痢をしやすいのです。

私が勤務している久里浜医療センターではアルコール依存症の治療を行っていますが、そこに入院する患者さんは、ほぼ100％下痢症状がありますが、断酒治療をすると便秘になって驚かれる方が出てくるほどです。それくらい、アルコールは強い下剤なのです。

コーヒー 日本人にはコーヒーの飲みすぎの人が多い

ひと息つくためにコーヒーを飲む人は多いでしょう。ところが、コーヒーが下剤となって、リラックスタイムを妨げるという本末転倒な事実を知らない人も、多いようです。

コーヒーには、大腸のぜん動運動を活発にさせる作用があります。

食後に一杯楽しむ程度であれば、まったく問題はないのですが、注意が必要なのがアイスコーヒーです。冷たくてのど越しのよいアイスコーヒーは、温かいコーヒーよりもたくさん飲めてしまいます。そのため、ついつい飲みすぎてしまい、下痢を招くことがあります。

アメリカやヨーロッパでは昔からコーヒーを楽しんでいますが、コーヒーを冷やして飲む習慣はなく、iced coffee が英語に登場したのはつい最近のこと。欧米人はコーヒーをたくさん飲んでいるイメージですが、少量のエスプレッソやカプチーノ、カフェオレを気分転換にたしなむ程度で、実際に飲んでいるコーヒーの量はそれほど多くありません。

ところが日本では、コーヒーが好きで、アイスコーヒーを一日に何杯も飲む人は少なくありません。

しかも、アイスコーヒーは熱いコーヒーとちがってゴクゴクと抵抗なく飲め、1日にグラスで何杯も飲んでしまうという方も少なくありません。アイスコーヒーが冷たいことと併せて、これでは下痢になるのも十分理解できます。

このように、下痢に良い食事、便秘に良い食事があります。当然ながら便秘に良い食事は下痢には良くないわけで、極度の乳糖不耐症やアレルギーでなければ、とる量を「ほどほど」におさえることで、食事の楽しみもおなかの健康も損なわずに済みます。

おなかの痛みを伴わない便秘は多い

「便秘」といっても、その原因はじつはいろいろあります。トイレをがまんしたり規則正しくトイレに行かなかったりするなど、生活習慣に問題がある便秘、ストレスが関連する便秘、下剤の使いすぎによる便秘、食事が原因となる便秘などがあり、原因がちがえば、当然対応も異なります。

便秘もＩＢＳ同様に、原因を知れば自分でも対処できます。

直腸性便秘　便意を感じにくくなってしまうタイプ

排便は、日常の営みのなかでも、もっともデリケートなものの一つです。特に便を漏ら

おなかが痛くならない便秘の種類

直腸性便秘

トイレに行きたくなったときにがまんする……ということを繰り返していると、便意が起こらなくなって、便秘になります。幼児や寝たきりの人の便秘の最大要因でもあります。

けいれん性便秘（ストレス関連）

大腸がけいれんして便を排出しなくなり、便秘になります。ウサギのフンのようなコロコロ便になるのが特徴です。気にすれば気にするほど、便が出なくなります。

弛緩性便秘（下痢性腸症）

刺激性下剤の使いすぎで大腸がダメージを受けて働かなくなり、便の出が悪くなります。下剤を増やすほど大腸の働きが損なわれるという悪循環に陥りがちです。

してしまうかもしれないという恐怖は、ＩＢＳを発症させるほど強いストレスです。

そして、排便は心理的にデリケートなだけではなく、そのメカニズムもとてもデリケートです。例えば、ＩＢＳの患者さんにとって、便意はコントロールしがたいものですが、通常だと、便意は直腸から脳に送られるシグナルにすぎません。がまんしたり気を紛らわせることで消すこともできるくらい微妙な感覚で、消しすぎていると、便意そのものが起こらなくなって便秘に陥ることもあります。これが「直腸性便秘」です。

排便は、食事はもちろん睡眠や運動など、生活習慣の影響を深く受けます。一度そのサイクルが乱れると、なかなか元に戻すのがむずかしい場合も少なくありません。

直腸性便秘の患者さんの大腸をエックス線検査で調べてみると、直腸にはかなりの量の便がたまっています。通常なら考えられないほどの量があることもめずらしくありませんが、まったく「便意」を感じていません。

治療では、浣腸などで一度完全に便を排出させ、直腸を空にします。そのあとは、便意がなくても、毎日、朝食後や夕食後など、大腸が活発に動く時間帯に規則正しくトイレに行くようにします。直腸の回復は年齢にかかわらずすみやかで、直腸の働きと感覚は１～２週間で戻ってくるでしょう。

ストレス型IBSで下痢になる場合

通常状態

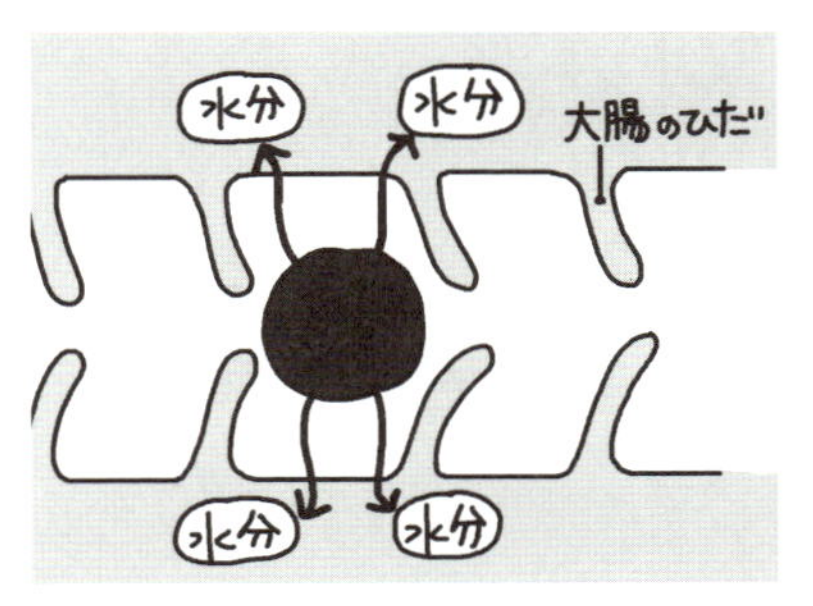

大腸のひだが、便を前後させながらゆっくりと押し出します。その間に、便の水分が吸収されていきます。

ストレス型IBSの下痢

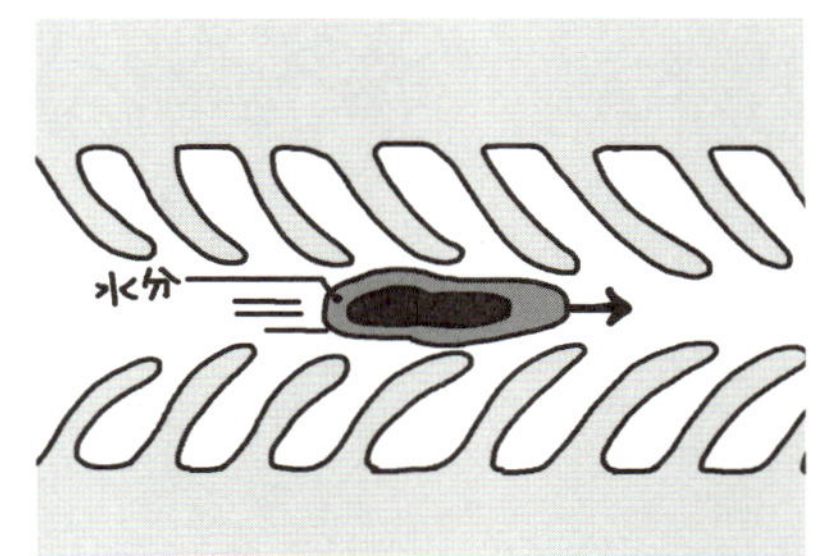

強いストレスが加わるとひだとひだの間が狭くなり、便を直腸の方向に強く押し出します。

けいれん性便秘

大腸がギューギューとけいれんする

ストレス型ＩＢＳでは、ストレスによって腸が異常な運動を起こし、それが下痢を招きます。ところが、ストレスによって腸が同じような反応を起こし、それが便秘を招くことがあります。これが「けいれん性便秘」です。

ストレス型ＩＢＳのうち、下痢型の患者さんでは、大腸のぜん動の際、ひだとひだの間隔が狭く、急速に上流から下流に移動していきます。その動きによって大腸の中身も速く運ばれていき、下痢になります。

一方、けいれん性便秘や、ストレス型ＩＢＳで便秘が起こる患者さんの場合、大腸のひだが同じ場所で収縮して、前後には動きません。そのため、便はひだとひだのあいだにと

けいれん性便秘の場合

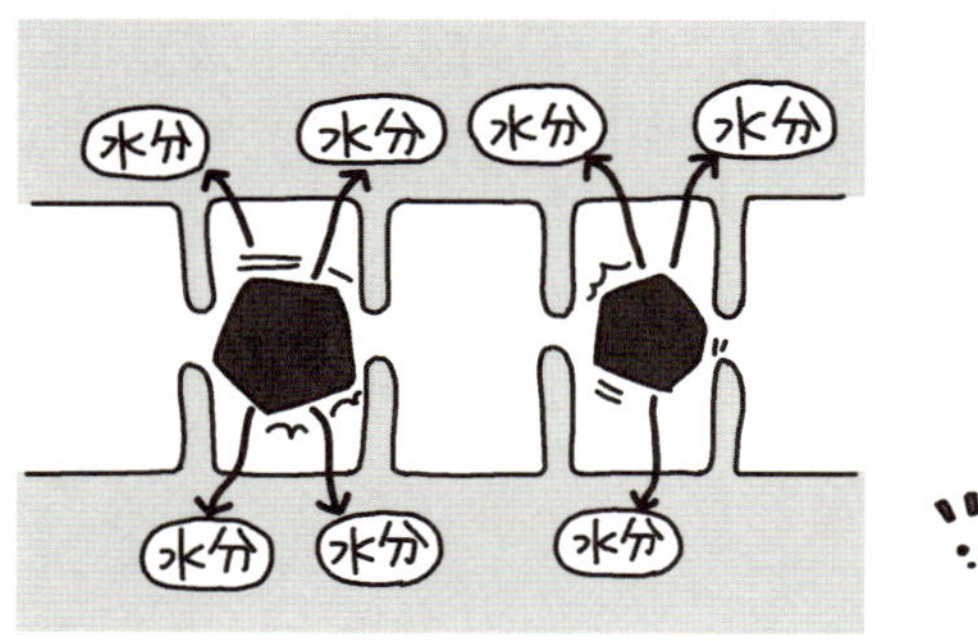

けいれん性便秘や、ストレス型ＩＢＳの便秘では、大腸のひだはその場でとどまったまま収縮。便はひだの間にはさまったまま水分が吸収されて圧縮されていきます。

どまったまま前に押し出されず、水分がどんどん吸収されて、便秘になります。また、便が圧縮され、ウサギのフンのようなコロコロの状態になります。

けいれん性便秘は、ストレス型ＩＢＳと同じくストレスが原因で、内視鏡検査では患者さんの緊張に合わせて腸が収縮する様子が観察されます。しかし緊張で腸が動くことは同じなのに、下痢になるタイプと、便秘になるタイプがある理由は、まだよくわかっていません。また、便秘型ＩＢＳでは激しい腹痛を伴うのに、けいれん性便秘の場合はおなかの痛みがない。このあたりの差は、まさに「体質によるもの」としか今のところ言いようがありません。

治療としては、まず「ストレスで便が圧縮

されて少なくなり、毎日出さなくてもよくなる体質なのだ」としっかり理解するのが重要です。おおもとのストレスが解消されていなくても、「そういうものか」と理解するだけでも、便秘自体が軽減します。また、便をやわらかくするために、水分を多めにとったり、オリゴ糖（123ページ参照）をプラスするのも効果が期待できます。

なお、この体質は悪いことばかりではありません。ストレスがかかる緊急事態では便を出す必要がなくなるわけで、生き抜くうえでじつは有利な体質です。けいれん性便秘は人類の生き残りの歴史のうえで獲得した体質なのかもしれません。

弛緩性便秘
下剤の連用が大腸を破壊してしまう

よく使われる下剤には、大きく分けて2つの種類があります。一つは、大腸を刺激して強制的にぜん動運動を起こさせて、便を排出させる「刺激性下剤」。もう一つは、便をやわらかくして通りやすくする「浸透圧性下剤」です。浸透圧性下剤には、オリゴ糖やマグネシウム製剤、ポリエチレングリコール製剤などがあります（123ページ参照）。

この2つのうち、弛緩性便秘を引き起こすのは「刺激性下剤」です。刺激性下剤（以下、下剤と言います）は、季節の変わり目や体調が悪いとき、また女性では月経時などの急な便秘に一時的に使う場合には非常に頼りになります。また慢性の便秘でもたまった固い便をリセットするには非常に有用な薬です。

ところが、慢性の便秘で下剤を毎日長期間使用していると、大腸はつねに刺激される状態となって、しだいに疲れてきます。こうなると、薬の量を増やさないと十分な運動が起こらなくなり、しかも、薬の量を増やせば大腸はますます疲れて、さらに薬を増量せざるをえなくなる……という悪循環が起こります。

そして、最終的には、どんなに薬をのんでも効果がなくなってしまいます。長期間、毎日下剤を内服することで大腸の神経がダメージを受け、回復困難な状況に陥ってしまうのです。これが、弛緩性便秘です。

このような弛緩性便秘の人で、下剤をのみ続け、増量に増量を重ねている人は、決められた使用量をはるかに超える量を常用していることも少なくありません。私の外来でも、下剤を一日に250錠ものんでいたり、1年で車を買えるぐらいの金額を薬を購入するのに費やしたりしている患者さんもいます。そもそも、そんなにたくさんのまなければならないのは治療として間違っているからなのですが、ここまでくると「下剤依存症」のような状態で、のまないと不安になってしまうのです。

ちなみに腸の中に便がない状態でも、下剤の成分が残っていることで、便があるような違和感があります。便がないのに便があるように感じるので「幻の便秘」と私は呼んでいます。治療では、まず下剤を毎日のまないようにして腸を休ませる日を作ることから始めます。ただ、回復にかかる時間は下剤を内服していた期間によって異なり、数ヵ月から数年かかることもしばしばですが、ほとんどの方が下剤から卒業することができます。

食事が原因の便秘

食物繊維のとりすぎが逆効果に

便秘には食物繊維がよい。もはや知らない人はいないといってもよいくらいの事実ですが、便秘に悩むあまり、とりすぎになっている人が多いのです。過ぎたるは及ばざるがごとし、とはよく言ったもので、食物繊維は不足しても便秘の原因となりますが、とりすぎても便秘の原因となります。

食物繊維が便秘に効く理由は、消化されずに大腸まで届き、便の〝カサ〟を増やすからです。すると、便が大きくやわらかくなって排出されやすくなります。ところが、もともと便が多いタイプの人が食物繊維をむやみにとると、便の量が増えすぎて大腸の中に引っかかり、かえって出づらくなったり、ガスの原因になったりで便秘を悪化させてしまうことも少なくないのです。

姿勢による直腸と肛門の状態

■ 座っているとき

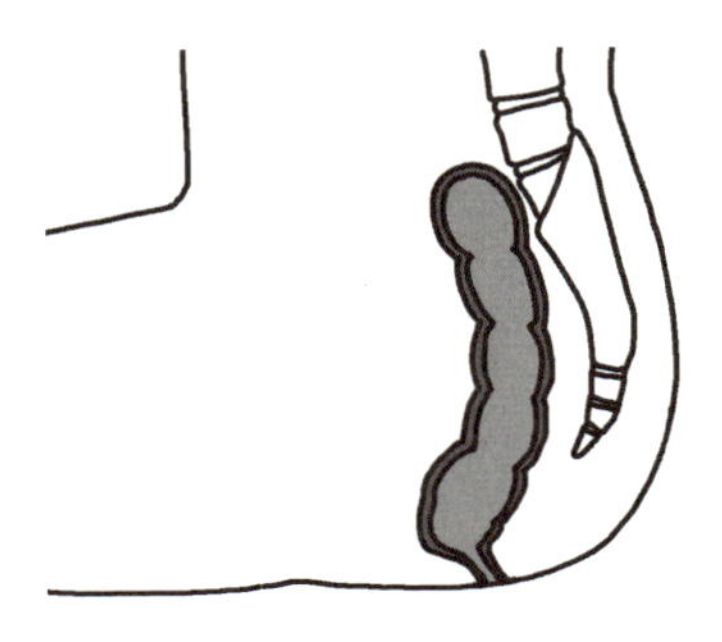

肛門と直腸の角度がゆるみ、排便しやすくなります。しかし、日本人の場合、排便がスムーズになるほどまではゆるみません。

■ 立っているとき

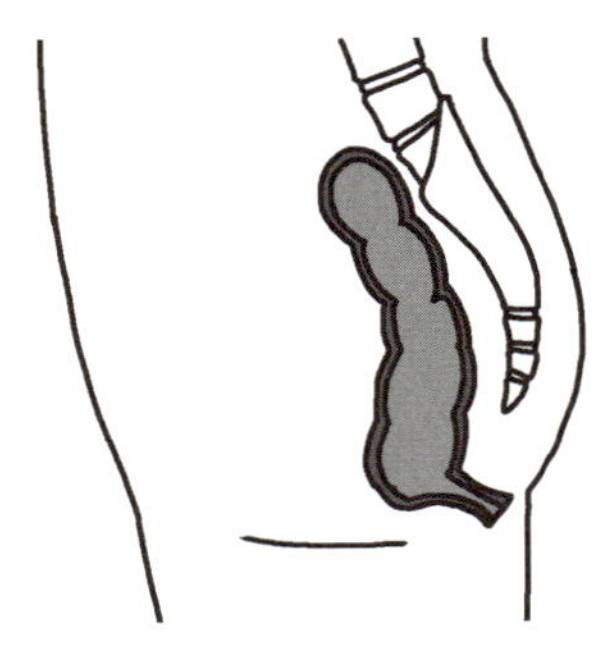

直腸の出口が鋭角に折れ曲がり、便が漏れないようになっています。

■ ひざを抱え込むとき

足を高くすると、和式便座を使ったときのように、排便しやすくなります。

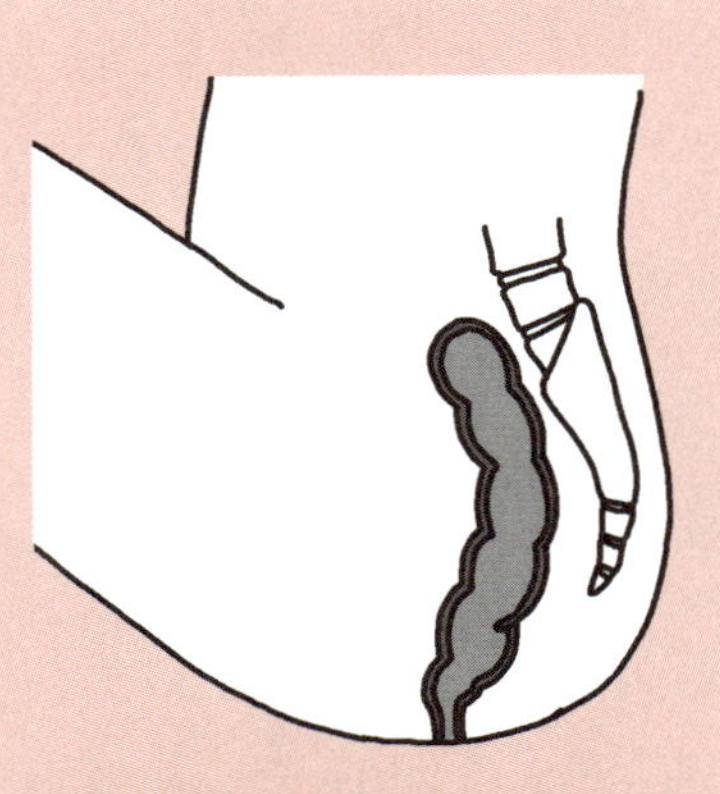

直腸と肛門がまっすぐになり、腹圧をかけなくてもスムーズに排便できます。

日本人の宿命!? お尻の形が原因で便秘になることも

便が出にくい、スッキリしない。だから自分は便秘体質だと思っている人のなかには、大腸の問題ではなく、お尻（肛門）の問題で便が出にくくなっている人がいます。

もともと、普通に立っているとき、直腸の出口と肛門は鋭角に折れ曲がってロックがかかり、便が漏れるのを防ぎます。ただし、この肛門と直腸の角度（直腸肛門角と言います）は人種によって、また個人でも多少異なり、日本人は欧米人よりも、肛門と直腸の角度が鋭い人が多いようなのです。

直腸肛門角が鋭角な人では、洋式便座に腰かけただけでは肛門と直腸の角度が十分にゆるみません。そのため、折れ曲がって出にくいところにムリヤリ便を通すために、通常は必要のない腹圧をかける必要があります。便秘の人はそれこそウンウンと強く腹圧をかけるため、肛門が切れたり、痔になったりと、お尻のトラブルまで抱え込む羽目になるのです。

では、直腸肛門角が鋭角な日本人が楽に排便するのに、もっとも適した姿勢はどんな姿勢なのでしょうか。答えはズバリ、和式便座を使うスタイルです。ひざを抱え込むように腰を深く曲げた姿勢だとお尻のロックが解除され、腹圧をかけなくても自然にスルリと排便できるのです。

ただし、現代の日本では、和式便座はだいぶ少なくなってしまいました。そこでおすすめなのが、20センチくらいの高さの踏み台をトイレに置くことです。用を足すときに踏み台に足をのせると、腰の角度が深くなり、排便しやすくなります。お尻にトラブルがある人はぜひお試しあれ。

便秘を起こしやすい状況もある

季節の変わり目や天候不順の時期には、自律神経が影響を受けます。自律神経は腸の運動にも深くかかわっているため、便秘を招きやすくなります。

また、出張や夜勤などストレスがかかる状況や自律神経に影響を及ぼす病気にかかっていたり、薬の作用で自律神経に影響が出ている場合も、便秘になりやすくなります。

なお、ＩＢＳに限らず、女性は便秘になりやすい傾向があります。女性は男性に比べ筋力が弱いことや運動量が少ないことなども関係していると考えられますが、もう一つ、女性が便秘になりやすいのには、女性特有の体のサイクルが関係しています。

女性は、月経のサイクルに合わせて女性ホルモンの分泌が大きく変化します。女性ホルモンのなかでも、黄体ホルモンには腸の運動を抑える働きがあるため、黄体ホルモンが分泌される月経前の時期には、便秘になりやすいのです。

IBSの診断には、問診と大腸の検査が必要

IBSの診断には、今まで見てきた病気とトラブルの可能性を一つひとつ除外していかなくてはなりません。そこで、これらの病気の特徴をふまえつつ、IBSの診断の流れを見てみましょう。

まず、何科を受診するのがよいか考えてみます。

IBSの治療は、現在、消化器科や心療内科、精神科などで受けられます。ただし、いずれの科でもIBSにくわしい医師は少ないのが現状です。消化器科では、消化器疾患にはくわしいものの、ストレス対応が苦手だったり、逆に心療内科や精神科では、ストレス対応がメインとなり、消化器疾患の除外が不十分になるおそれがある……といった具合です。また、いきなり心療内科や精神科を受診するのをためらう人もいるようです。かかりつけ医がある場合は、そこから専門医を紹介してもらうのもよいでしょう。

問診で伝えること

胃腸症状について

- いつごろから始まったか
- 一日に何回くらいトイレに行くか、また、その際にかかる時間はどのくらいか
- 便はどんな状態か、いつも同じか、日によって変化するか
- 症状は、日中、睡眠中、平日と週末などで変化するか
- 原因となるストレスがあるか
- どんなときに悪化、または改善するか
- 家族にも、同じ症状で悩んでいる人はいるか　など

それ以外の症状について

- 発熱はないか（微熱が続いている、ときどき熱が上がる、など）
- 体重の急な変化はないか
- 便に血液や粘液が混ざっていないか
- 便の形が細くなっていないか
- もともとの持病がある場合は、その治療状況はどうか　など

これらについてあらかじめ書き出しておくとスムーズに伝えられます。

問診
症状だけでなく、日常生活の変化なども伝えよう

問診では、まず症状を伝えます。胃腸の症状をこまかく伝えるのはもちろん、症状の始まった時期や、日常生活にどのような支障が出ているかも具体的に伝えましょう。

また、下痢や便秘、腹痛などのおなかの症状以外に、ほかの症状があるかどうかも伝えます。日中の様子だけではなく、夜中に便意を感じて目が覚めてしまうなど、睡眠中についても困ったことがないか振り返ってみましょう。

症状が現れたり、悪化したりする「きっかけ」に心当たりがあるかどうかも重要です。きっかけがあるかどうかはっきりしない場合は、症状と一日のスケジュールを表に書き出

してみるのもよいでしょう。思わぬことに気づくかもしれません。

ライフスタイルの変化も大切な情報です。特に、腸管形態型ＩＢＳの場合、生活の変化などで運動量が減って症状が出る場合が多いからです。

大人なら、退職して通勤しなくなったり、転職して外回りから内勤に変わったりしたこと、学生なら、勉強や受験のために部活やクラブをやめたりして生活リズムが変化したことが、症状にかかわっている可能性があります。

家族に胃腸の病気があるかどうかも伝えておきたい

ＩＢＳのうち、腸管形態型ＩＢＳの患者さんでは、話を聞くと、「じつは私の母もおなかが弱くて……」といった具合に、家族のなかに似たような症状で悩んでいる人がいる場合がかなりあります。

ＩＢＳや便秘の患者さんのうち、30～60％の人は、血縁のある親族に同様の患者がいると報告されています。これは、大腸の形が遺伝するのも一因だと私は考えています。そのため、程度の差こそあれ、親子・きょうだいで同じ症状に悩んだりするようです。

現に、親子やきょうだいで受診される患者さんは非常に多いです。親子で顔つきや体格が似るように、大腸の形も似てくるのでしょう。

ただし、そのほかのＩＢＳについては、家族内で同じような症状が起こりやすいかどうかは、まだよくわかっていません。

検便検査や内視鏡検査で「異常なし」を確認する

ＩＢＳの診断では、大腸がんや炎症性疾患などの重大な病気が隠れていないかどうかを確かめなくてはなりません。そのため、検便検査（便の中に血液が含まれていないかを調べる検査）は必須で、検便検査で異常があった場合は大腸内視鏡検査を行います。

内視鏡検査では、大腸の内部にがんやポリープ、炎症などが起こっていないかを見ます。

検便検査や内視鏡検査などで異常がないと診断されて初めて、ＩＢＳと診断されます。

ただし、異常がない、とはあくまでも大腸の内部の話です。

内視鏡検査そのものが、「ものすごく時間がかかった」「痛みがひどくてつらかった」場合は、大腸の内部に異常はなくても、検査そのものとしては問題があったと言わざるをえません。

もちろん、医師のテクニックという面はありますが、現在の大腸内視鏡検査は本来なら何十分もかかったり、苦痛を伴うものではないからです。

内視鏡検査とは

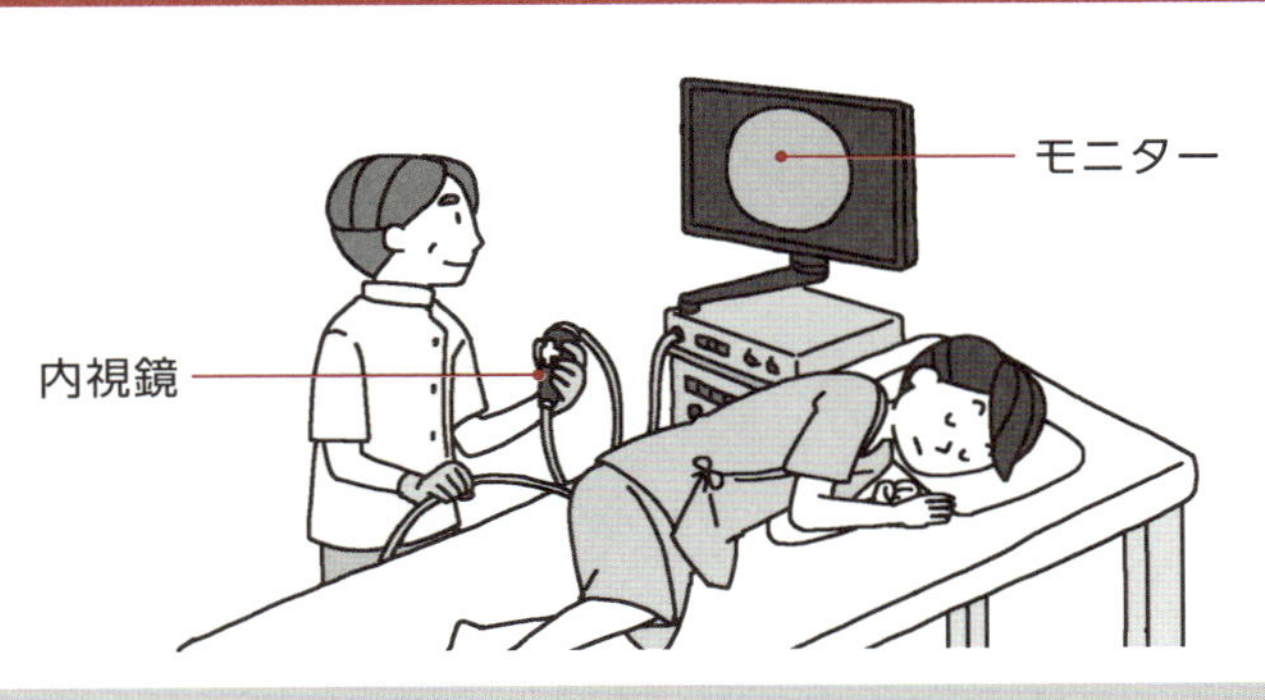

検査前に、大腸の中の便を出して中を見やすくする「前処置」を行います。便が出きったら、検査台の上に横になり、肛門から内視鏡が挿入されます。内視鏡で撮影した映像はモニターに映し出され、医師はそれを見ながら内視鏡を操作します。

また、大腸の中をきれいにして見やすくするために、検査の前には患者さんに洗腸液を服用してもらいます。この前処置も、通常の人ではほとんど問題は起こりません。

ところが、同じ処置を受けても、腸管形態型ＩＢＳなど腸の形に問題のある患者さんは、腸のねじれのために便と洗腸液が通らず、腸がなかなかきれいにならなかったり、洗腸液を吐いてしまったりと、苦労することが多いのです。

内視鏡検査の「プロセス」も、大切な情報となる

ＩＢＳを疑って私の外来にいらっしゃる患者さんの多くは、すでにいくつかの医療機関を受診しています。

内視鏡検査の「経過」で確認したい

検査で自分が苦労したこと

- 検査前にのんだ下剤でもなかなか便が出なかった
- 検査中に、痛みが強かった
- おならが出て困った

など

内視鏡検査を受けたときに苦労したことに、病気のヒントが隠れていることも。

医師に聞いておきたいこと

- 自分の内視鏡検査は大変だったか
- どんな点に苦労したか
- 時間がかかったか

など

ＩＢＳの患者さんの内視鏡検査で苦労することが多いのは、医師も同じです。検査後に確認しておくと参考になります。

以前、内視鏡検査を受けたことがある患者さんに「内視鏡検査の結果はどうでしたか」と聞くと、ほとんどの人は「異常なしと言われました」と答えます。

ところが、「検査自体はどうでしたか」と聞くと、やはりほとんどの人が「ものすごく大変でした」と答えます。大腸内視鏡検査が〝ものすごく大変だった〟、これ自体がじつは異常のサインです。

内視鏡検査は、その名のとおり「内部を視る」ための検査です。内部に異常がなければよい、と考えがちですが、ＩＢＳや便秘からすると、「木を見て森を見ず」で腸の状態を見ていないのかもしれません。小さな異変を見逃すまいと、ていねいに腸の中を見ているど、全体をとらえるのはむずかしいものです。

IBS患者さんたちからすると、腫瘍や炎症がなくても便は出づらい、そして、検査自体が大変だったのに「異常なし」というのでは困ってしまうと思います。

私は今、日本消化器病学会や日本消化器内視鏡学会で医師向けに、検査が大変だった患者さんに「あなたの腸は内視鏡検査が大変でしたよ」という点をもっと伝えるべきである、と発信しています。「検査が大変だった」ところに便が出づらいIBSや便秘のメカニズムが隠れていることが多いからです。

患者さんも、受診する際には、内視鏡検査の「結果」だけではなく、「検査にどのくらい時間がかかったか」「検査がむずかしかったか」についても、医師に聞くとよいと思います。

もし、時間がかかって大変だったと医師に言われたら、それは普通のことなのか、時間がかかった理由はなんだと思うかと聞いてみましょう。腸の中ではなく、腸の形や動きに原因があることが多いからです。

エックス線検査にはじつは大きな情報が隠されている

最近では、腹部のエックス線検査を省いて最初から、CT検査や内視鏡検査を行う場合

腹部エックス線検査で見える大腸の形

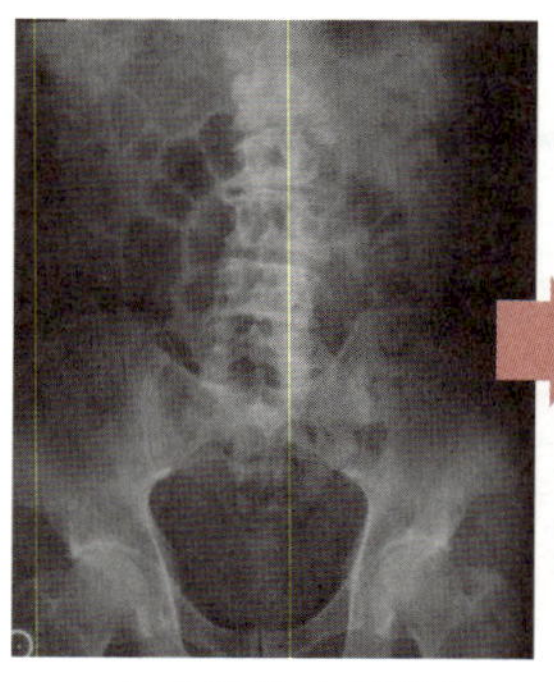
エックス線検査画像に、ガスや便が写っています。

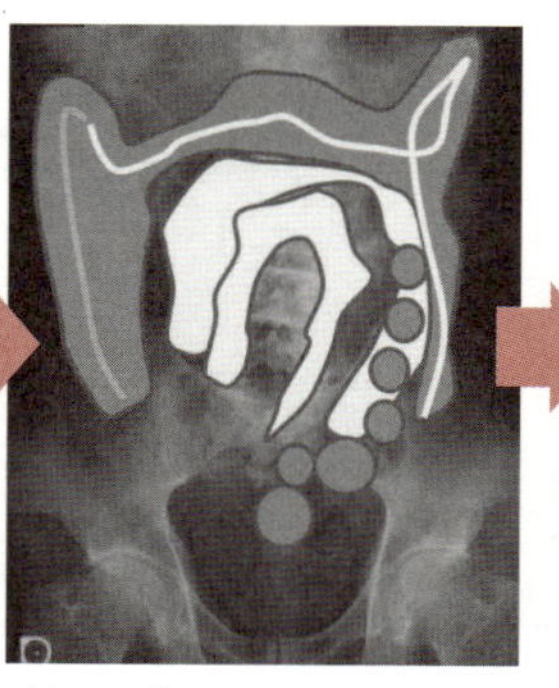
ガスと便をトレースした像。

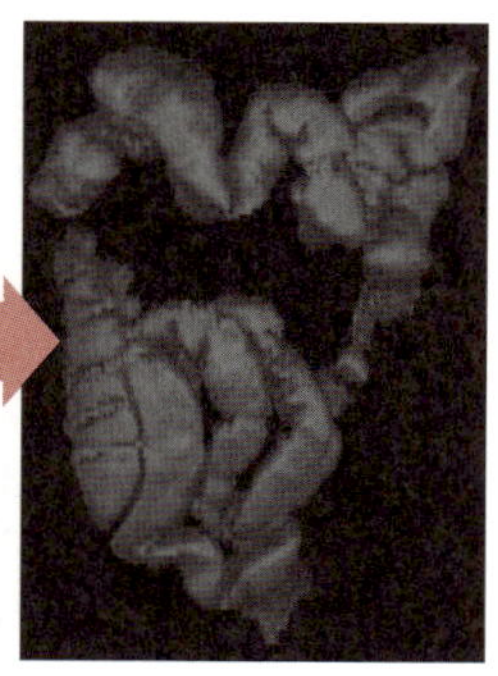
同じ方のCTコロノグラフィー。ガスや便の像をつなぎ合わせた像とほぼ同じ。

が増えてきました。しかし、旧来の腹部のエックス線写真にはいろいろな情報が隠されています。

じつはエックス線検査では、腸内にある便やガスを評価することができるのです。腸管形態型IBSの患者さんでは、腹部エックス線検査によって便やガスから腸の形やその問題を評価できます。

私も以前は大腸内視鏡と、腸の形を見るCTコロノグラフィーという検査を行って腸の動きや形を評価していました。

しかしその後、多くの患者さんのデータを解析して腹部エックス線写真と合わせてみていくうちに、実は患者さんのお話をよく聞いて、腹部エックス線写真を撮るだけで必要な情報が得られることがわかってきました。最近は、内視鏡検査をすることなく治療指針を決めることができるようになりました。

ただ、残念なことに、腹部エックス線検査で腸の形や状態を把握できることを知っている医師はまだ少ないのが現状です。現在、私は学会活動のなかで、簡単に検査できる腹部エックス線検査の重要性を発信しているところです。

胆汁性下痢型IBSの場合は、治療が検査をかねる

胆汁性下痢型ＩＢＳの患者さんの場合、食事と下痢の関係がかなり密接ですから、問診でもおおよそ推測できます。また、海外とは状況が異なり、日本では胆汁性下痢を診断する検査を行うことができません。

そのため、胆汁性下痢型ＩＢＳと考えられる患者さんには、血液検査でコレステロール値を検査しながら、胆汁酸を吸着して体外に排出させる働きがあるコレステロールの薬を服用してもらい、効果を見ることで診断と治療を行います。

服用後、下痢が改善すれば、胆汁が原因のＩＢＳと考えられるので採血でのコレステロール値と症状を見ながら治療をしていきます。

ピンチは目をつぶってやりすごせ！

下痢の症状でもっともつらいのは、「便意をがまんしなければならないとき」ではないでしょうか。電車に乗っているとき、大切な会議で中座できないとき……そんなときほど便意は差し迫って感じられるものです。

こんなとき、私が患者さんにおすすめしているのは「目をつぶること」です。怖いとき人間は目をつぶります。目をつぶることはリラクセーション効果があると言われていますが、目をつぶると、腸の動きが治まるのです。

ストレス型ＩＢＳの患者さんでは、検査前に腸の動きを抑える薬（抗コリン薬）を投与しても緊張して腸の動きが起きますが、そのような患者さんでも、目をつぶってもらうとアラ不思議、たちまち腸は静かになって内視鏡がスムーズに入っていくようになるのです。

困ったことが起こったら立ち向かうのは大切ですが、急な便意だけは「目をつぶってやりすごす」のが得策。「とっさのときでもできることがある」と知っておけば、急な便意におそわれたらどうしようという不安もかなりやわらぐはずです。

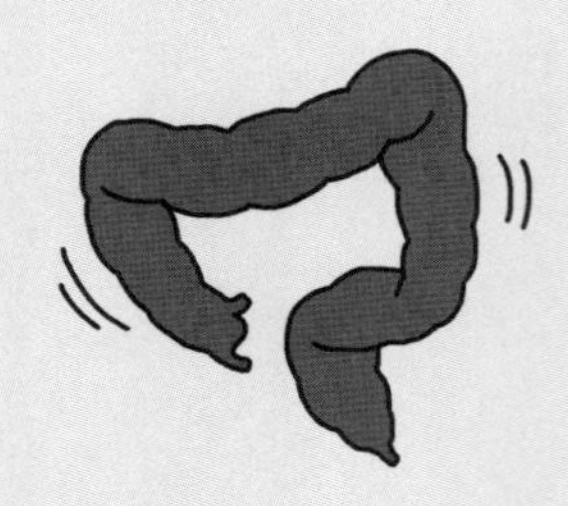

第4章

IBSを病院で治す

IBSの治療で使われる薬

診断は治療の第一歩

患者さんの話を聞き、腹部エックス線検査をすることで、ＩＢＳとその原因を診断していきます。私は、この「診断をして原因を明らかにすること」が治療の第一歩と言ってもよいくらい、重要だと考えています。

原因がわかるということは、患者さんにとっては大きな安心材料です。自分を悩ませている症状の原因がわからず、長い間モヤモヤとした霧の中にいるような状態だったのが、霧が晴れて相手の正体がわかり、自分のするべきことが見える、といったところでしょうか。

私も以前、同じような経験をしました。地方の救急病院で、あまりの激務に胃がひどく痛むようになったことがありました。胃潰瘍の薬をのんでも痛みは治まらず、「胃にひどい炎症や大きな潰瘍ができているにちがいない」、そう思って内視鏡検査を受けたのです。ところが、画面に映し出された私の胃の内部は正常そのもの。とてもきれいな粘膜で炎症も潰瘍もありませんでした。このとき、私は心底ガッカリして恥ずかしい気持ちになりました。

本来、胃に異常がなくて喜ばしいはずですが、そのときの私にとっては、こんなに痛いのにまったく異常がない、担当医にも症状をわかってもらえない、それは「胃に異常がなかった」ことよりも、ずっと残念なことだったのです。

外来でIBSの患者さんにお会いすると、当時の私と同じ状況なのではないかと思うときがたびたびあります。異常がないから対処のしようがない。あるいは、病名はついたけれど、〝どうして症状が出ているのか〟がわからないので、適切な処置が受けられない……そんな状況は、症状に悩む患者さんにとって絶望的な状態に思えます。

けれども、IBSを4つのタイプに分類する私の診療では、IBSの症状を引き起こしている原因が明確にわかります。したがって、原因に応じた有効な対処法もわかります。この点がIBS、特にストレス型IBSでは非常に意味のあることなのです。

ここではまず、私が外来でふだん行っている診断と治療方針を、IBSのタイプ別に紹介します。

ストレス型IBS

「敵を知り、己を知る」ことが治療になる

ストレス型IBSの患者さんには、まず、「この病気は体質によるものですよ」とお伝えします。あくまでもストレスに腸が反応しやすい体質によって引き起こされる下痢とストレスの悪循環によって病気になっているのだということです。

「体質だからしかたがない」と考えるのは治すのを放棄することではありません。「体質でしかたがない」といい意味であきらめることでそれ以上悩むことをやめ、「体質」を自分の一部として受け入れることで下痢とストレスの悪循環が解消されるのです。

私は、外来では、「あなたの症状は、ストレスに腸が反応しやすい体質が原因で下痢とストレスの悪循環によって起きるものです。このような症状を起こす元は、たとえて言うならデリケートなスーパーコンピューターを内蔵しているためで、このタイプのＩＢＳの患者さんには、優秀な方が多いのですよ。うまく乗りこなしていきましょう！」とお伝えするようにしています。実際、日本とアメリカの疫学調査ではＩＢＳの患者さんは学歴が高いことが報告されています。ほとんどの患者さんは「しかたがないのですね」と前向きにあきらめて、「体質」を受け入れて悪循環が解消してよくなっていきます。

このタイプに非常によく効く特効薬（ラモセトロン・119ページ参照）があるので、薬の助けを借りながら症状のない状態を維持するうちに、患者さんのほとんどは、この病気を克服して「卒業」していきます。

腸管形態型ＩＢＳ

腸の形を見ることで治療のポイントがわかる

腸管形態型ＩＢＳの患者さんには、腹部エックス線検査で、大腸がねじれたり、あるいは落ち込んでしまっていることを見せて症状の原因を理解してもらっています。

腸管形態型ＩＢＳでは、タイプに合わせたマッサージや運動が効果を発揮します。しかし、「運動を心がけてくださいね」と言われるだけでは、患者さんにはピンときません。そこで、診察では、エックス線検査の画像で大腸の形を示しながら、「この部分がこうなっていますから、便が通りにくいのです」と説明します。自分のおなかの中の状態がわかり、原因も対処法もまさに「一目瞭然」です。マッサージをする意味も納得できますし、「がんばらなくては」という意欲もわきやすいようです。

お通じを緩く、出しやすくすることで便の詰まりを防ぐ便秘薬を使います。そして「痛み」に対して効果がある便秘型ＩＢＳに適応を持つ薬リナクロチド（124ページ参照）が登場しました。この薬は便を軟らかくする作用を併せ持ちますが、年齢や個人差で内服量の調整が必要なことがあります。

ただし、薬はあくまでも補助的なものです。基本は、体を動かすことや、マッサージを生活のなかに無理のない形で取り込んで、自然な排便を促していきます。一般の医療機関では腸の形は評価できませんが、ほとんどの腸の形をカバーするマッサージ法を第5章で紹介します。

胆汁性下痢型ＩＢＳ

じつは特効薬がある

下痢の原因となる胆汁を吸着し、無毒化して排泄させる高脂血症（脂質異常症、血液中のコレステロールが増えすぎる病気）の薬（コレスチミド・125ページ参照）を血液中のコレステロール値を見ながら使用しますが、特効薬といっていいほどの効果があります。

また、食事の後に必ず下痢を起こすというパターンが決まっているため、食事をとったらしっかり出せるだけ便を出すなど、生活のサイクルを工夫するようにおすすめしています（生活サイクルについては第５章参照）。生活の工夫で薬がいらなくなる場合もあるようです。

消化吸収不良型ＩＢＳ

便秘に良い食事は下痢には合わない

消化吸収能力が高いと便秘、低いと下痢になります。高ＦＯＤＭＡＰ食など消化しにくい物は便秘には向きますが、下痢の場合は下痢とともに腹痛やガスを悪化させます。

体質と状況をみて適切に食事を選びましょう。

IBSの治療は病態を理解して薬を適切に使う

現在、ストレス型IBSや胆汁性下痢型IBSには特効薬があり、腸管形態型IBSではエクササイズが中心となるので、私が外来で使う薬は、それほど多くありません。長年IBSに悩んでいろいろな医療機関を受診したあと、私の外来にいらっしゃる患者さんは、すでに量、種類ともにかなり多くの薬を服用していることが多く、診察では、薬を処方するというより、むしろあまり効果が出ていないと思われる薬を減らして〝処方を整理する〟ほうが多いくらいです。

まず、IBSのタイプ別に、外来で主に使う薬について解説しましょう。

ストレス型IBSで使う薬

ラモセトロン（商品名・イリボー）

ストレス型の下痢型IBSの患者さんに特効薬といっていいほどの威力を発揮します。

ラモセトロンは、もともと抗がん剤を使う際の吐き止めとして使われていましたが、2008年に下痢を主体とするIBSの治療薬としても使われるようになりました。これによって、ストレス型IBSの治療は非常に進歩しました。

ラモセトロンには、セロトニンという物質の受容体をブロックする作用があります。専門的には「セロトニン3受容体拮抗薬」と言います。

セロトニンは神経での情報の伝達を担う「神経伝達物質」の一つで、体内では主に脳と腸に分布しています。

腸にはセロトニンの受容体がたくさんあり、セロトニンが受容体に結合すると、腸の運動が活発になって下痢を起こしやすくなります。そこで、ラモセトロンは、セロトニンの受容体（5-HT3）をブロックしてセロトニンが結合するのを妨げ、腸の運動スイッチが入るのを防ぐのです。

また、おなかの痛みを抑える効果もあります。この薬を服用していると、症状の引き金となっていた「電車に乗る」「会議に出る」といったストレスの強くなる場面でも、おなかの症状が起こらなくなります。すると、そうした場面で過度に感じていた不安やストレスがなくなり、症状とストレスの悪循環から解放されます。

しかも、前述したとおり、ほとんどの患者さんはいずれ、薬をのまなくても日常生活で

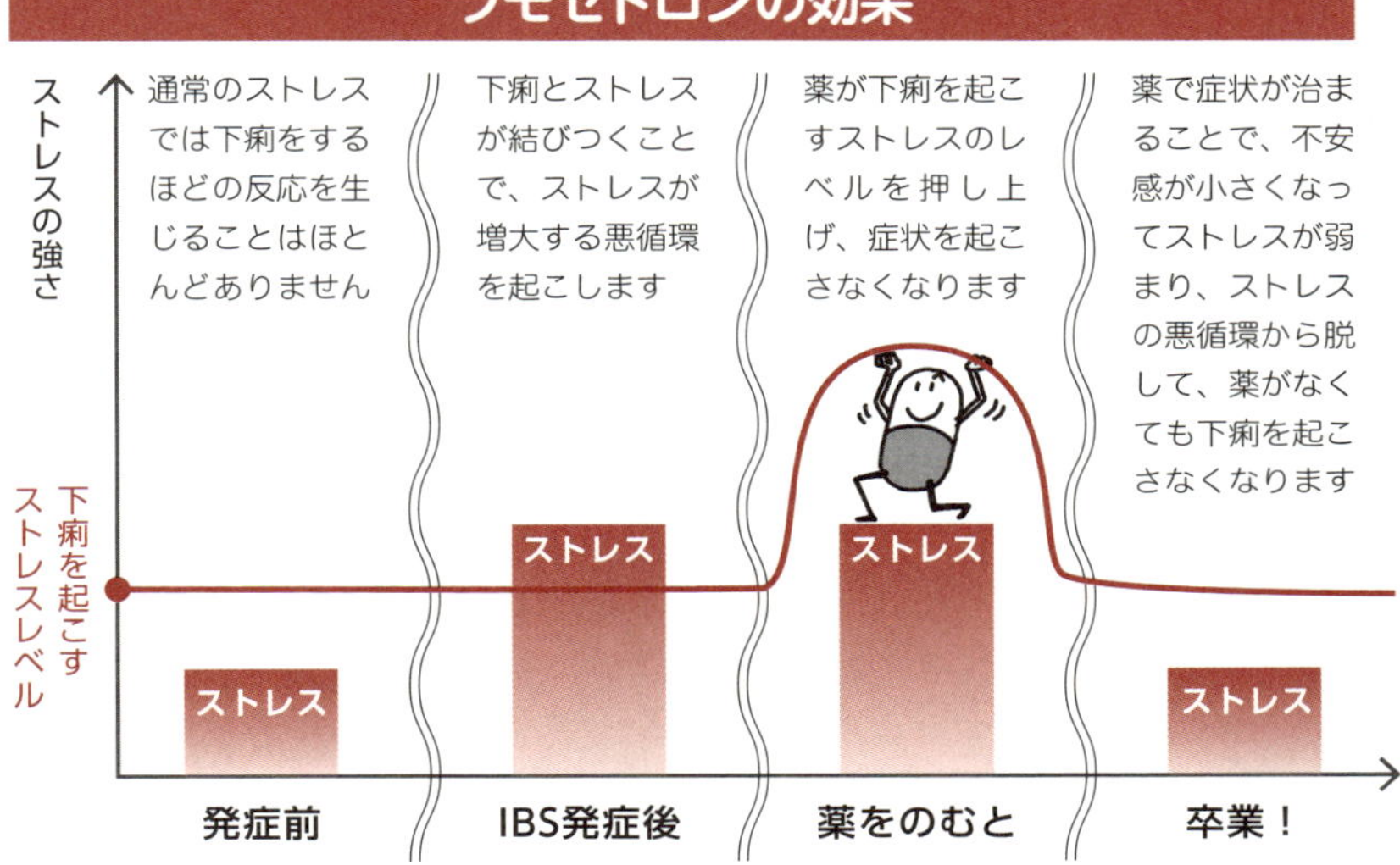

は支障がないまでに改善していきます。

理論的には、薬の助けを借りてストレスの反応を起こらなくしているだけなので、薬をやめればストレスの反応は元に戻ってしまうはずです。現に、ストレス型ＩＢＳを克服した人に内視鏡検査を行っても、腸は激しいぜん動を起こします。ある程度のストレスがかかると腸が反応する体質そのものは、薬では治すことはできないのです。

しかし、薬の助けを借りてよい状態をキープしながら、体質だからしかたがないと受け入れていくことで、ストレス型ＩＢＳの病態である「下痢とストレスの悪循環」が解消するのです。すると、下痢などに対する過剰な恐怖がなくなり、多少のストレスがかかっても腸が過剰な反応を起こさなくなっていくのです。

よくなった患者さんのほとんどは、薬を財布の中に入れて「お守り」にしているようです。いざというときには薬を飲むことができる、その安心感だけでやっていけるほどよくなるのです。

なお、ラモセトロンはよく効くだけに、効きすぎると便秘を招きます。のみはじめの時期は適量を見極めるために少量からスタートしますから、自己判断で薬を増やしたりせず、症状を医師に伝えてください。

特に女性では、男性より薬の血中濃度が2倍程度も高くなるとされていて、便秘が起こりやすくなる傾向があるため、女性の使用量は男性の半量から使用されます。処方された用量を守り、気になることは必ず医師に相談しましょう。私の経験上はこの薬で便秘になったり、逆に腹痛が出る人は腸の形に問題があることが多く、第5章で示すマッサージを併用すると、便秘や腹痛なく治療を継続できることが多いようです。

クエン酸タンドスピロン（商品名・セディール）

セロトニン神経系を抑制することで不安をやわらげたり、気持ちをリラックスさせる働きのある「抗不安薬」です。症状の元となる「不安」を軽減させストレスを軽減するため、腹痛をやわらげたり腸の働きを抑える効果が得られます。

もともとストレスの関与が強い人はもちろん、女性の患者さんで、ラモセトロンでは便秘になってしまう人などに向いています。メンタルの薬で心配されることの多い依存性や薬が効きにくくなる耐性がなく、症状がよくなって薬を中止するのも容易な薬です。

腸管形態型IBSで使う薬

腸管形態型IBSは、便秘型か、便秘と下痢が交互に起こる混合型がほとんどです。治療では、エクササイズに併せて、便の形状を整える薬、リナクロチドなどを使います。

浸透圧性下剤（酸化マグネシウム／商品名・マグミット、オリゴ糖／商品名・ラクツロース、ポリエチレングリコール／商品名・モビコール）

腸から吸収されにくいことで腸内に水分を留めて便を軟らかくします。酸化マグネシウムやオリゴ糖は大腸を動かす作用を有し、ポリエチレングリコールは便を滑りやすく排便を容易にさせる作用を持ちます。

酸化マグネシウムは腎機能や薬の飲み合わせに注意が必要で、ポリエチレングリコールは過敏症への注意が必要です。

ラクツロースは甘いですが血糖を上げる作用はありません。

高分子重合体（ポリカルボフィルカルシウム／商品名・コロネル、ポリフル）

便の形状を整えて、排便しやすくする薬です。水分を含んで膨らむため、「膨張性下剤」に分類されています。

便が硬いときは軟らかく、下痢のときは水分を吸収して便をまとまらせる作用がありま す。

便が大腸を通過する時間が短くなったり、排便の回数が増えたりする効果があります。また、腹痛を改善することも期待できます。

ただし、胃酸を抑える薬をのんでいると効果が発揮できず、便の量が多い患者さんでは、この薬でさらに便が増えてしまうため逆効果になることがあります。

上皮機能変容薬（リナクロチド／商品名・リンゼス）

便秘型のＩＢＳに効果が期待されるとして登場した新しい薬が「リナクロチド」です。

この薬は「粘膜上皮機能変容薬」といわれ、大腸粘膜上皮細胞に発現しているグアニル酸シクラーゼC受容体作動薬で、腸管分泌および腸管輸送能を促進する作用があり、さらに腸管知覚過敏改善作用で痛みを軽減します。食前に内服する必要があり、必要量に大きな個人差があります。

腸管から水分を分泌して、便を軟らかく排便しやすくするとともに、腹痛を軽減する作用を持ちます。

便秘型ＩＢＳと共に慢性便秘症にも適応があります。

食後に内服すると下痢を起こしたり、必要量に個人差があることに注意が必要です。

胆汁性下痢型ＩＢＳで使う薬

コレスチミド（商品名・コレバイン）

下剤の作用を持つ胆汁の成分である胆汁酸と結合して無毒化し、排出させる作用があります。胆汁性下痢型ＩＢＳには特効薬です。

この薬は、もともとは高脂血症の治療薬です。コレステロールは胆汁酸の原料となるので、胆汁酸を排出させることで、体内のコレステロールが胆汁酸をつくるために消費され、減少することを狙っているのです。残念ながらIBSでは保険適応となっていないため、診察では患者さんの血中コレステロールの値を見ながら高脂血症の一環として治療していきます。

体内に吸収されない安全性の高い薬ですが、注意しなければならない点もあります。ほかの薬と結合してその働きを妨げるおそれがあるため、服用時間をずらすなどの対応が必要です。ほかの病気で薬を使用する際は、必ず医師や薬剤師にコレスチミドを服用していることを伝えてください。

IBSに伴って起こる症状をやわらげる薬

前述した薬のほか、患者さんが困っている症状を解消するための薬を併せて使う場合もあります。

消化管機能改善薬

胃や小腸、大腸などの消化管に働きかけて、その運動や働きを調整する薬です。ラモセトロン（イリボー）も、このグループの仲間です。

消化管のけいれんを鎮める作用がある「抗コリン薬」、消化管運動を調整したり抑制する「オピオイド作動薬」などがあります。これらの薬のなかから、患者さんの症状や体質に合う薬を選んで使っていきます。

「抗コリン薬」には即効性があり、よく、〝今起こっている下痢をとりあえず止める〟といった緊急停止的な効果を狙って使うことが多いのですが、ストレス型IBSではあまり効果が期待できません。というのも、抗コリン薬は大腸内視鏡検査の際に、大腸の動きを鎮めるために一般的に使われますが、ストレス型IBSの患者さんが緊張して起こす腸の動きを止めることはできないためです。

消化管内ガス駆除剤（消泡剤）・ジメチコン（商品名・ガスコン）

おなかの中のガスを取り除く（駆除する）薬で、界面活性剤です。腸内にある細かいガスの泡を破裂させて大きなガスにして、体外に排出されやすくする働きがあります。ガス自体を発生させなくしたり、消してしまうわけではありません。

おならがよく出る、おなかが張るなどの症状がある患者さんに処方されます。緊張することで生唾といっしょに空気を飲んでしまう呑気症のガスには効果がありません。

余談ですが、私は「ガスコン」というネーミングが秀逸だと思っています。いかにも、ガスをコントロールしてくれそうな響き。

薬につけられた名前などから受けるイメージや安心感は、一見、薬の作用とは関係のなさそうなものですが、じつは私たちが思っている以上に薬の効果に影響しているものなのです。外来で診る限り、IBSのガスの原因の多くはストレスからの呑気症なので、このようなネーミングセンスも重要なのです。

整腸剤

腸の働きを整えて改善する薬で、ビフィズス菌や乳酸菌製剤、酪酸菌製剤が代表的です。処方薬なら、ビオフェルミン、ラックビー、ミヤBMやビオスリーなどがありますし、市販薬にもたくさんの種類があります。

整腸剤のむずかしいところは、腸の中の状態は患者さんによって一人ひとり異なるために、全員に同じような効果が表れるとは限らない点です。

最近よく話題になる言葉に「腸内フローラ」があります。私たちの腸の中には、1000種類、100兆個の種類の細菌が存在していて、1つの生態系を形成しています。これを腸内フローラと呼びます。

腸内フローラを構成する細菌の種類やバランスは一人ひとり異なります。どのくらいちがうのかというと、遺伝子がまったく同じ研究用のマウスを2匹、まったく同じ環境で育てていても、腸内フローラを調べてみると、その内訳は1匹1匹異なるそうです。腸内フローラは、それくらい個体差が激しいのです。

このように個体差がある状況で同じ薬を使っても、効果に差が出てくるのは当然でしょう。また、腸内フローラは、食事や生活の影響を受けますから、同じ整腸剤がずっと効果を発揮しつづけるとは限らないのも、悩ましいところです。

そもそもIBSの原因が何で、腸内細菌に何を期待できるのかということからしても今後解決するべき問題があるようです。

一時的に使う下剤

固い便が詰まってしまった場合など、とにかく一度便を出してリセットするために一時的に下剤を使う場合があります。固くなった便はやわらかくならないので、腸管のリセットのためには重要な薬です。よく処方されるのが、「ピコスルファートナトリウム」や「センナエキス」といった刺激性下剤です。

これらの薬は、腸管形態型IBSなどで安易に使うと、腸が薬で動いても、腸のねじれで便が出ないことで強い腹痛が出たり、血圧が下がったりすることもありますので、エクササイズや腹部マッサージを併用しながら、必要時のみ使うべき薬です。

抗不安薬・抗うつ薬

抗不安薬や抗うつ薬はＩＢＳの原因となる不安やストレスを軽減して、ＩＢＳのストレスと腹部症状の悪循環を解消するために使われます。前述したクエン酸タンドスピロン（セディール）も、抗不安薬の一種です。さほど眠気を起こしませんが、車の運転や機械の操作などを行う場合は内服に注意が必要です。

また、抗うつ薬は、大腸の知覚過敏を緩和する働きがあるため、腹痛や膨満感などの不快な症状をやわらげる効果が期待できます。

薬について医師に伝えること・確認しておきたいこと

■ 持病や既往症

以前かかっていた病気や食物のアレルギー、現在治療を受けている病気について伝えます。病態の特定や薬の相互作用や副作用の悪化を防ぐためです。

■ 処方されている薬や、内服している市販薬やサプリ

処方薬だけでなく、市販薬も忘れずに。かぜ薬など常備薬でよく使うものがある場合は、念のために確認しておくと安心です。

■ 副作用が起こった場合の対処法

眠気や腹痛が出たり、体調の異変が出た場合はすみやかに医療機関に連絡しましょう。

■ 妊娠の可能性

妊婦さんには使用できない薬があります。

診察で伝えてほしいこと

薬を処方するためには、医師はいろいろなことをお聞きします。IBS以外の病気で治療を受けている場合は、薬の相互作用を防ぐためにも、使っている薬の種類や量などを必ず伝えましょう。食物を含めたアレルギーや過去にかかったことがある病気なども大切な情報です。今の病気とは関係ないと思わず、症状の出た時期や治療期間などを伝えてください。

また、治療を始めたあとも、薬が適切に働いているかどうかを確かめなくてはなりません。よく、「薬が効きすぎるから」と自分の判断で量を減らしたり、「効かないから」と

量を増やしている人がいますが、いずれも危険です。副作用の危険性が高くなりますし、その症状が薬の作用なのか、ほかに原因があるのかわからなくなってしまいます。

まず処方どおりのんでみて不都合があればすみやかに医師に伝えましょう。処方どおりにのまなかった場合は、必ずその理由と現在の状況を医師に伝えてください。医師はそれをふまえて、薬の種類や量を調整して患者さんに合った処方内容を見つけていくのです。

市販薬はあくまでも一時の助けとして使う

ここで、市販薬についてもふれておきましょう。

腸管形態型ＩＢＳなどで便秘しやすい人は、季節の変わり目や気候・気圧の急な変化などで便秘に陥りやすいもの。特に女性は月経のサイクルに伴って便秘を起こしやすいので、このような「困ったとき」に限って、市販の下剤を一時的に使うのは理に適っていて効果的です。しかし、下剤、特に刺激性下剤を使いつづけると大腸を疲弊させ、便秘を悪化させるのはすでに述べたとおりです。

刺激性下剤の一種であるセンナや大黄（だいおう）や決明子（けつめいし）やアロエは、「生薬由来」のため効きがおだやかというイメージを持つかもしれませんが、アントラキノンという成分を含む生薬

内視鏡で見た大腸の内部

大腸黒皮症の大腸

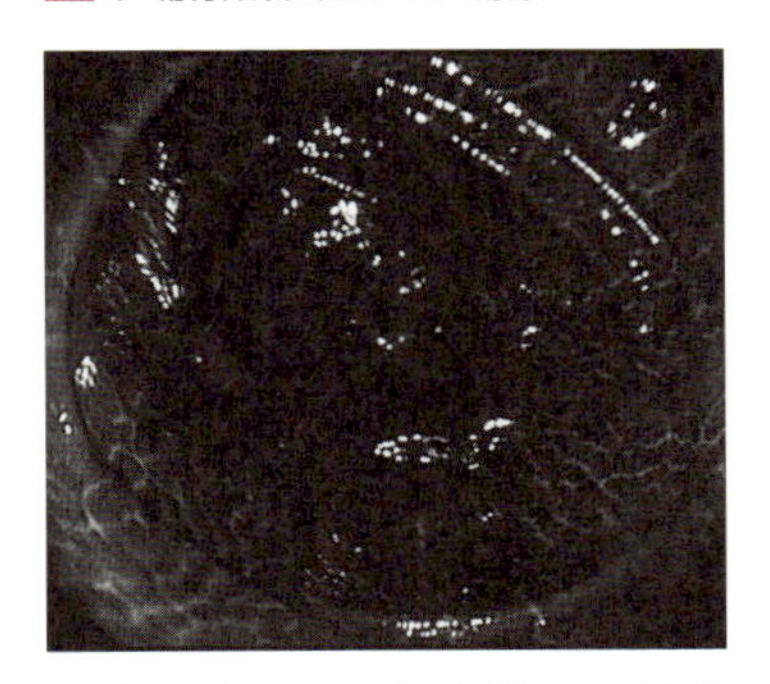

生薬を連日、長年内服して黒くなった大腸。薬の使用を休むと徐々に回復します。

正常な大腸

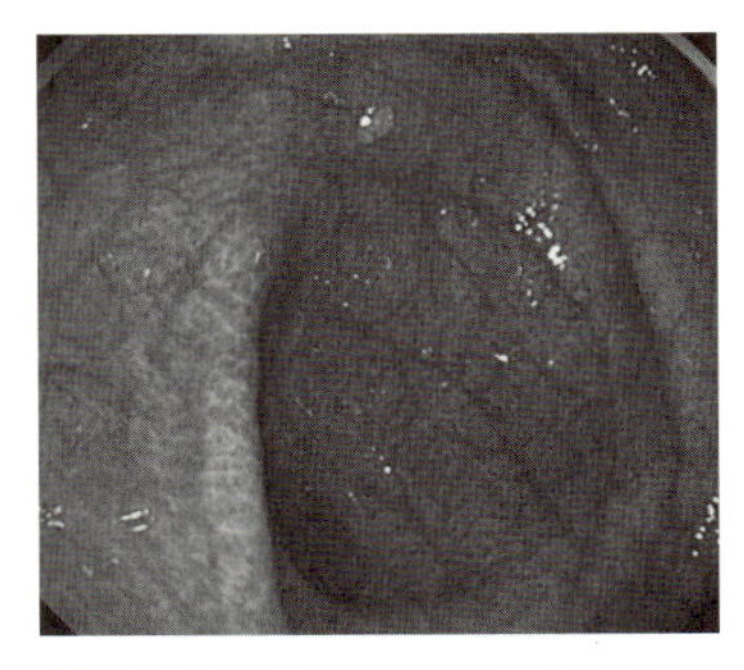

正常な大腸の粘膜は淡いピンク色で、ツヤツヤしています。

を連日、長時間内服すると粘膜にも変化を来します。もちろん適正に使用していれば問題ないのですが、連日、長期間内服すると粘膜がダメージを受け真っ黒に変色する「大腸黒皮症（だいちょうこくひしょう）」となります。大腸黒皮症では、がんなどの危険性が高くなることがわかっています。東北大学の研究では、下剤を1週間に2回以上のみ続けていると、がんの危険性が約3倍にはね上がるというデータがあります。

「認知療法」内視鏡の新たな活用法

心療内科では、患者さんのものの とらえ方や考え方、行動パターンなどを見直す「認知療法」「認知行動療法」が行われます。私の外来でも一種の「認知療法」を行っています。

これまでご説明してきたようにIBSの病態は、じつはかなりわかりやすく、有効な対処法もあるため、ほとんどの患者さんは短期間で卒業していきます。しかし、何十年も病気に苦しめられていた場合、なかなかご自身の体質を受け入れられず、症状が長引く患者さんがいます。私は、このような患者さんには大腸がん検診を兼ねて内視鏡検査を行います。ストレスがかかると、自分の意志とは無関係に大腸が運動を起こし、リラックスすると大腸の運動が止まるのを見せて、「あなたの体の中では今このようなことが起こっています。これは、あなたの意志の強さなどとは関係なく、このような体質だということです」と説明します。すると、これまで納得できなかった患者さんも、「こんなことになるのなら、やはりしかたがないのだなあ」と受け入れて、ほとんどが即時に卒業してしまいます。

このように、自分の体に起こっていることを患者さんに認識してもらうことを「バイオフィードバック」と言います。これもじつは、強力な認知療法の一つです。

IBSの治療で使われる主な薬

	分類	一般名	主な商品名	作用など
消化管機能調節薬	セロトニン3受容体拮抗薬	ラモセトロン塩酸塩	イリボー	セロトニン受容体に作用して、腸の働きを抑える。
消化管機能調節薬	オピオイド作動薬（止痢薬）	ロペラミド塩酸塩	ロペミン	腸管の運動を止めて、直腸の知覚を回復させ、下痢をストップする。
消化管機能調節薬	オピオイド作動薬（腸管運動調整薬）	トリメブチンマレイン酸塩	セレキノン	腸管の運動が亢進しているときは抑制、抑制されている場合は亢進させるなど腸管運動の調整を行う。
消化管機能調節薬	抗コリン薬	チメピジウム	セスデン	消化管の運動を活発にさせるアセチルコリンの作用を抑え、消化管の運動を鎮めたり、消化管のけいれんなどを防ぐ。
		チキジウム	チアトン	
		メペンゾラート	トランコロン	
		ブチルスコポラミン	ブスコパン	
消化管機能調節薬	セロトニン4受容体拮抗薬	モサプリドクエン酸	ガスモチン	ラモセトロン塩酸塩とは異なるセロトニンの受容体に作用する薬で、消化管の動きを促進させる。
消化管機能調節薬	グアニル酸シクラーゼC受容体作動薬（粘膜上皮機能変容薬）	リナクロチド	リンゼス	小腸および大腸から水分分泌を促し、腸管知覚過敏を改善させる。便秘型IBSに適応を持つ。
便形状改善薬	高分子重合体	ポリカルボフィルカルシウム	コロネル ポリフル	胃酸で活性化されゲル状になり、便の水分量を調整して、下痢や便秘を改善する。
便形状改善薬	マグネシウム製剤	酸化マグネシウム	マグミット	腸の中に水分を呼び込み、便をやわらかくするとともに腸管運動を促進する。
便形状改善薬	オリゴ糖製剤	ラクツロース	モニラック 小児 ラグノスゼリー 成人	便をやわらかくさせ、分解産物が腸管運動を促進する。成人ではゼリー製剤を使用する。
便形状改善薬	ポリエチレングリコール	モビコール	モビコールLD HD	便の軟らかくさせると同時に滑りをよくさせて排便を容易にする。

胆汁酸吸着薬	脂質異常症改善薬（陰イオン交換樹脂）	コレスチミド	コレバイン	胆汁酸を吸着し、体外に排出する（脂質異常症を確認して投与される）。
症状をやわらげる薬	ガス駆除剤（消泡剤）	ジメチコン	ガスコン	腸内の小水泡を合体させて排出させやすくする。
	整腸薬	ビフィズス菌	ラックビー	腸内フローラ調整作用。ビフィズス菌製剤は胆汁酸吸着作用もあり、酪酸菌製剤は有機酸によるぜん動促進作用もある。
			ビオフェルミン	
		配合薬	ビオスリー	
	緩下剤（下剤）	センナ	アローゼン	大腸に直接作用して水分分泌とぜん動により大腸全体の内容物を排出させる。長期連用で耐性が起きる。
		センノシド	プルゼニド	
		ピコスルファートナトリウム水和物	ラキソベロン	
	抗不安薬	タンドスピロンクエン酸塩	セディール	不安感をやわらげたり、自律神経に作用して腹部症状などを改善する。
		アルプラゾラム	ソラナックス コンスタン	
		ロフラゼプ酸エチル	メイラックス	

第5章

IBSを自分で治す

今日からできるIBS対策

ＩＢＳは、病院での治療だけで改善するものではありません。薬は症状をやわらげたり、改善したりしますが、根底から病気を治すわけではないので、自分に合った生活の工夫を上手に取り入れ、よい状態をキープしていくことが大切です。

この章では、私がふだん患者さんにお話ししていることや、おすすめしていることを紹介します。

「必ずよくなる」と常にイメージする

ＩＢＳは体質の病気なので、日常生活でいちばん大切なのは、「体質を知ってうまく付き合う」ことで「必ずよくなる」と常にイメージすることです。もちろん、「体質を知ってうまく付き合う」にはある程度時間がかかるでしょうし、よい状態をキープするために、毎日の生活に多少の工夫を取り入れる必要もあります。

それでも、ほとんどの患者さんは、この病気をいずれ卒業していきます。私の外来でも、「よくなりました、もう大丈夫です。ありがとうございました」と言って多くの患者さんたちが卒業されていきました。

胆汁性下痢型ＩＢＳの患者さんだけは薬の服用が必要なことが多いですが、ストレス型

IBSの患者さんは、薬を毎日飲む必要がなくなることが多いですし、腸管形態型IBSの患者さんは、マッサージや運動、食事などの工夫でのり切れるようになることも多いのです。

「IBSは自分の体質を知って、うまく付き合えば必ず克服できる」。そのことを頭の片隅に置いておくだけでも、症状に伴うストレスはかなり軽くなります。

また、一つのたとえでいえば、自転車や車を運転するのも慣れるまでは大変ですが、慣れると「ここを曲がる」など念じるだけでうまく運転できるようになります。じつは人間の頭はスーパーコンピューターで、念じるだけで正しく体を動かす能力を持っているのです。つまり「必ずよくなる」とイメージするとそのイメージどおりによくなるよう人間の自己修復機能が起動するのです。

「必ずよくなる、そして楽しく過ごせるようになる」これを常にイメージして、日常生活の改善に取り組んでください。

IBSでは、タイプ別に日常生活で取り入れてほしい改善点があります。ただし、2週間試してみても改善が感じられなければ中止してください。本当に効果があるなら、2週間まじめに続ければ体にはなんらかの変化がみられるはず。効果が出ない場合は「そこに原因はない」のです。IBSの患者さんは、今まで「よくなるはずだから」と症状のために生活を制限してつらい日々を送られていた人がとても多いようです。

ＩＢＳの原因となる体質を知って、適切に対処すれば生活を制限することもなく楽しく過ごせる、と私は思っています。

排便のリズムをつくるためにも規則正しい生活を

どのタイプのＩＢＳにも言えることですが、規則正しい生活を心がけることは排便のリズムを整えるうえでもとてもよいことです。食事は大腸の活動サイクルに大きな影響を与えます。食事を抜いたり、あとでまとめ食いしたりといった不規則な食生活は排便のリズムを乱し症状を悪化させます。できるだけ食事の時間を規則正しく守りましょう。

また、しっかり眠って心身の健全性を保つことは生活上のストレスに立ち向かううえで非常に重要です。パソコン画面やスマートフォンからは、脳を覚醒させるといわれるブルーライトが出ていて不眠の大きな原因になります。夜の9時以降は、パソコンやスマホを操作するのは控えて、心身の健康を保ちましょう。

そして生活リズムを組みたてるうえでぜひ取り入れていただきたい習慣があります。それが、「早起き」、そして「朝ごはん」です。

朝、早めに起きて、しっかり朝ごはんを食べる。すると、大腸が動き出して便が出ます。よく朝にコップ1杯の水を飲むとよいといわれますが、水を飲むだけでは大腸を動かす胆汁が出ず、十分な刺激になりません。食事をしっかりとることで、大腸も元気に動き出すのです。朝にトイレタイムをとるのは、特に胆汁性下痢型IBSの患者さんにおすすめです。このタイプでは食事と関連して下痢が起こりますから、自分で時間をコントロールできる朝にこそ、しっかり出しておくのがよいのです。

ストレス型IBSの患者さんでも、朝にトイレに行っておけば「今日はしっかり出したから大丈夫」と安心できます。また、腸管形態型IBSで便秘に悩んでいる場合、たとえ便意がなくても毎日決まった時間にトイレに行くのを繰り返していると、しだいに、その時間に排便するよう体のサイクルが整ってきます。

私の外来にいらしている患者さんの朝のスケジュールを例に紹介しましょう。

この患者さんは、長年、胆汁性下痢型IBSに悩まされており、通勤や通学で電車の中で困ったことが何度もあったそうです。そこで朝、家を出る前にトイレを済ませておくことを工夫するようになりました。一日のどこかで便を出さないといけないのなら、一日のリズムの中に排便をしっかり組み込もうというわけです。朝にゆっくりすごすのは、トイレタイムを取るためだけではなく、ゆったりした気持ちで一日をスタートさせるという意味でもとてもよい習慣です。

この患者さんの朝の日課にあえて付け加えるとすると、体操などでちょっと体を動かすとよいかもしれません。腸管形態型ＩＢＳを併せ持っている場合は、大腸に残っている便が出やすくなります。

マッサージで大腸を動かし便を出しやすく

大腸のねじれや落下腸で便秘になりやすい腸管形態型ＩＢＳの場合は、おなかのマッサージを習慣づけるとよいでしょう。

146～153ページで紹介するマッサージは、もともとは私が大腸の内視鏡検査をするうえで取り入れていた工夫をもとに考えたものです。大腸内視鏡の検査法を研究していた私は、腸の形に問題がある、検査がむずかしい人には、患者さん自身におなかを押すように協力してもらい、腸の形を補正することで内視鏡を通りやすくしていました。その過程で、すでにお話しした腸の形に異常がある人にはＩＢＳや便秘が多いことに気付きました。

そしてある日、大腸の中を通りにくいのは、内視鏡も便も同じなのではないか、とひらめいたのです。患者さんにおなかを押してもらうと内視鏡が通りやすくなるように、おな

IBSの人の理想的な朝のスケジュール

6:30

- ○ マッサージ
- ○ 着替え、支度
- ○ 体操
- ○ 朝食
- ○ トイレタイム

朝起きてから着替え、支度を手早く済ませ、しっかり朝食を食べて、ゆっくりトイレに行きます。

7:30

○ **家を出る**

途中でトイレに行きたくなる場合に備えて、通勤時間にも余裕を持たせられるよう、早めに家を出ています。

調子がよければ

8:30

○ **会社に到着**

始業時間よりかなり早く着くので、静かなオフィスで仕事がはかどります。そのぶん、夜に早く帰れるのもメリットです。

便意を感じたら……

○ **トイレによる**

途中で電車を降りて、駅のトイレに行きます。時間に余裕があるのであわてずに済みます。

8:45

○ **会社に到着**

トイレに寄った日も、始業時間までには到着できるようにしています。

かを押すと便が出やすくなるはずで、実際そのとおりだったのです。

大腸のねじれが特に問題になるのは、便の水分が吸収されて固くなってくる大腸の後半部分。そこで、ねじれが起こりやすい箇所や、便が引っかかりやすい部位をねらって、大腸を揺らすようにマッサージのやり方を工夫しました。

落下腸の人は、最後に腸全体を上に持ち上げるマッサージを追加してください。効率よく腸が揺らされて、中の便が引っかかりにくくなります。

マッサージを行うのに注意が必要な人も

大腸のマッサージはどれも簡単なものばかりですが、内臓に働きかけるものなので注意が必要な場合があります。

腰が悪い人、おなかに腫瘍や動脈瘤(りゅう)などの病気がある人、あるいは妊娠中の女性は、マッサージが悪影響を及ぼす恐れがあります。このような人はマッサージをしてよいかどうか自己判断せず、必ず主治医に相談してください。

また、食後すぐやアルコールを飲んだあとは避けましょう。

マッサージで刺激する部分

マッサージ4
骨盤内に落ち込んだ大腸を持ち上げて効率よく揺らします。

マッサージ1
横行結腸と下行結腸のつなぎ目は、水分がなくなって固くなってきた便が最初に通過する“曲がり角”。体をひねることで便を通りやすくします。

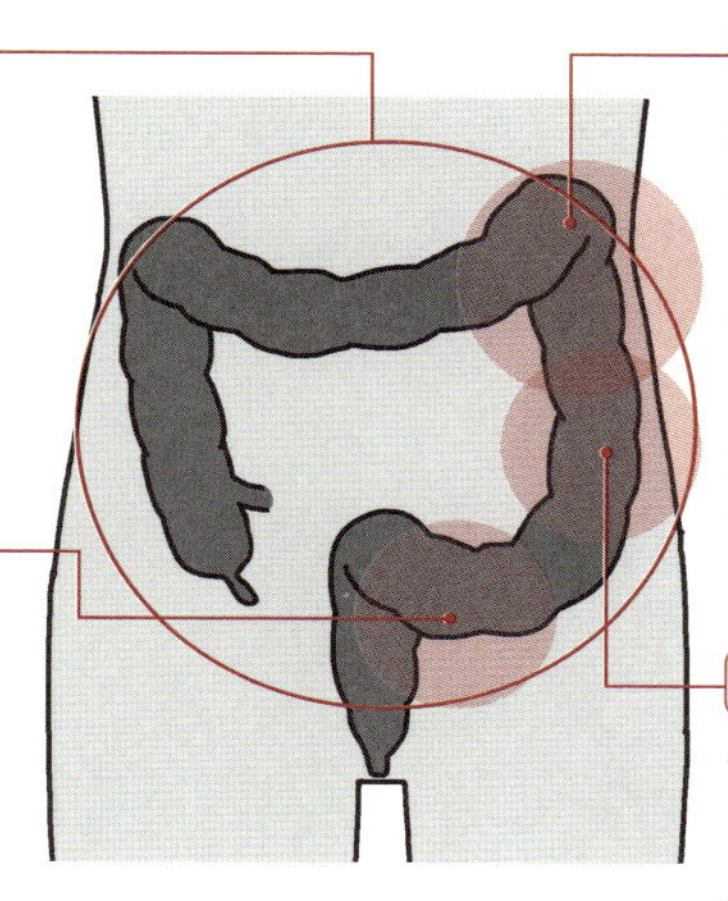

マッサージ3
S状結腸は、その名の通り曲がりくねって詰まりやすい部位。ここを揺らして通りやすくします。

マッサージ2
下行結腸はねじれが生じやすい部位です。全体をやさしく揺すります。

マッサージは一日2セットで十分

マッサージは基本的には一日のうち、いつ行ってもかまいませんが、横になって行うマッサージが多いので、夜寝る前や、朝、起きる前だと無理なく取り組めると思います。特に排便は朝が多いので、朝起きる前にマッサージすると効果的です。

夜は、立って行うマッサージを最初にしてから横になって行うマッサージを、朝は逆で、寝たままできるマッサージを先に済ませてから、立って行うマッサージをする、というように、自分の行いやすいように順番を工夫して、無理なく続けてください。

マッサージ 1

上体ひねりマッサージ

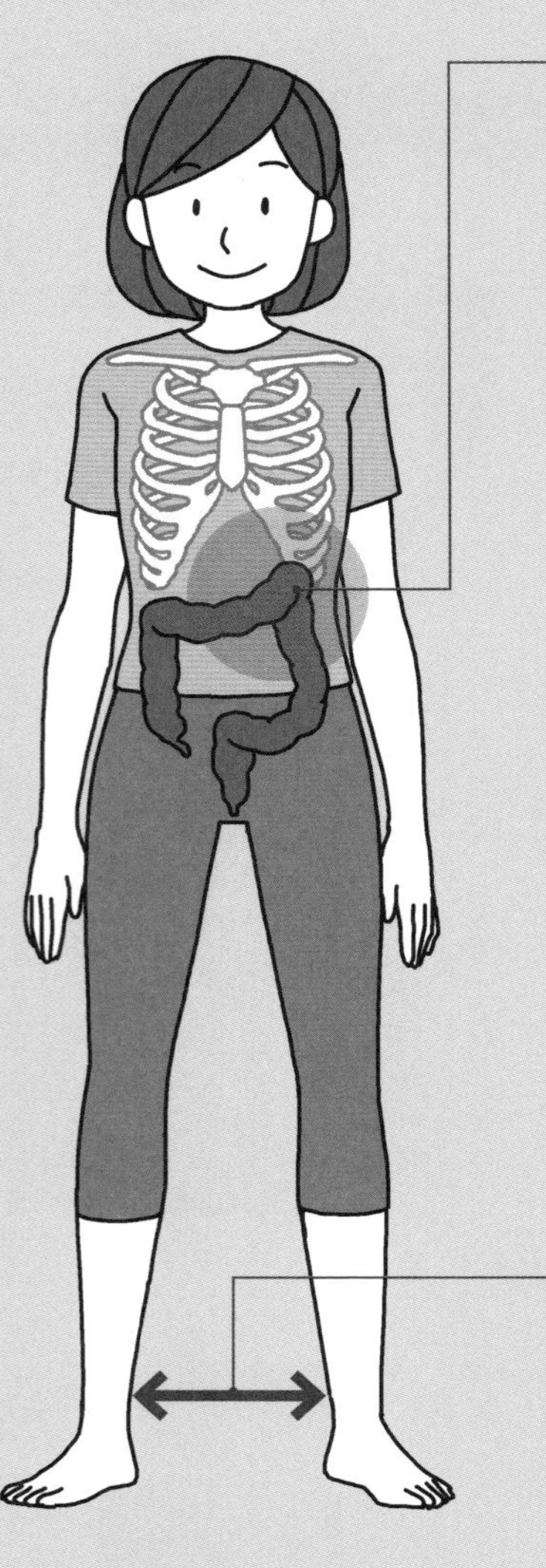

1 どこをひねるかイメージする

横行結腸と下行結腸の角は肋骨（ろっこつ）の下に隠れています。この部分を大きく動かし、中の腸を揺らすようイメージします。

上体につられて骨盤が回ってしまうと効果が薄れるので、下半身は動かないようにしましょう。

2 しっかり立つ

足を肩幅よりやや大きく広げ、しっかり立ちます。背筋はまっすぐに姿勢よく行いましょう。

3 両腕を左右に広げる

両腕を左右に軽く広げ、肩の力を抜きます。

4 左右にひねる

上体を左右に 90° ずつひねります。勢いをつけず、ゆっくりと無理のない範囲で1分間ほど続けます。

マッサージ❷
左腹トントンマッサージ

1 あお向けになる

腰の下に厚さ５cmほどのクッションなどを敷いて、あお向けになります。ひざは軽く曲げます。

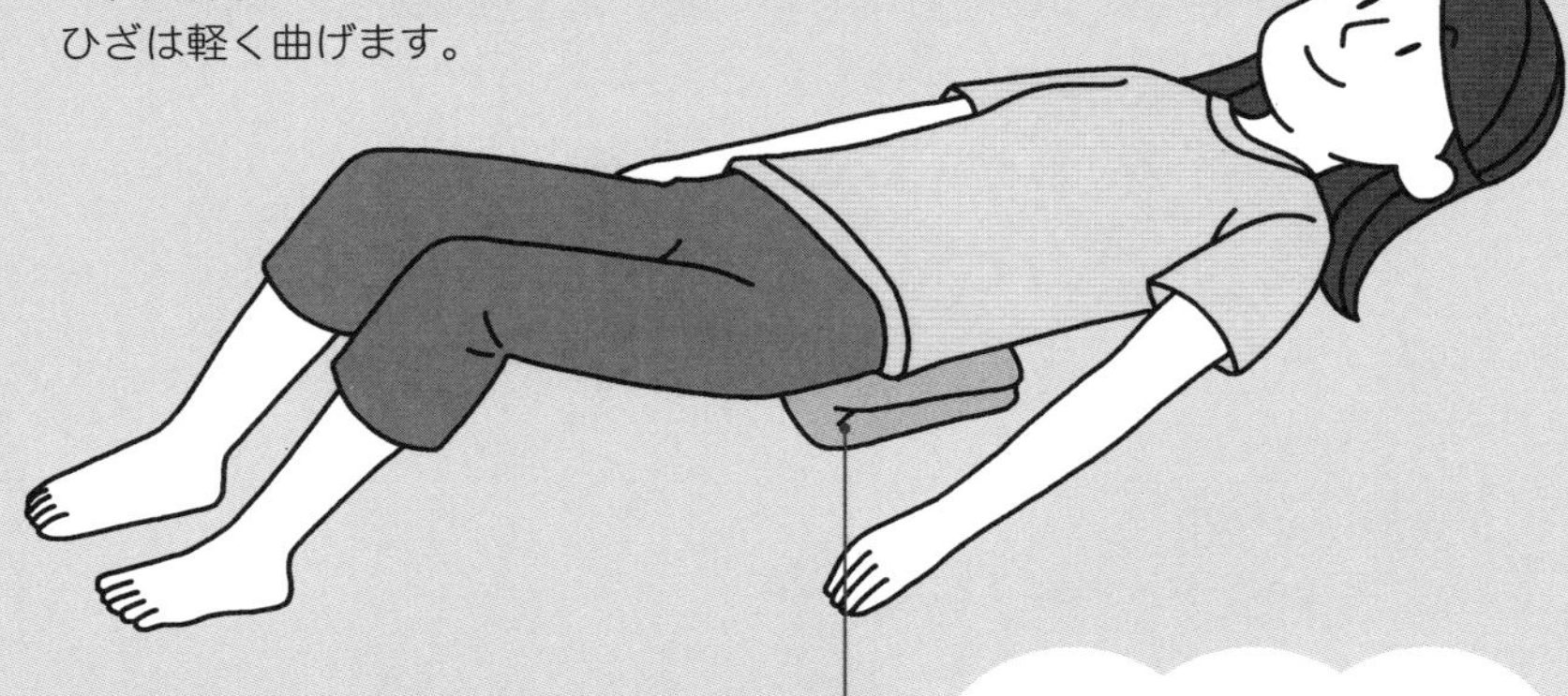

クッションを入れると腸が頭のほうに上がってきて、マッサージの効果がアップします。

おなかの力を抜いてリラックス

おなかに力が入っていると指を押し返して、マッサージの刺激が十分に届きません。ひざを立てて、力を抜いてリラックスしましょう。

注意！

脈動するものに触れたら力を抜いて

おなかには太い血管が走っています。マッサージの途中で少し硬くてドクドクと脈を打っているものに触れたら、それは大動脈です。そこは押さないようにしましょう。

ここをマッサージ

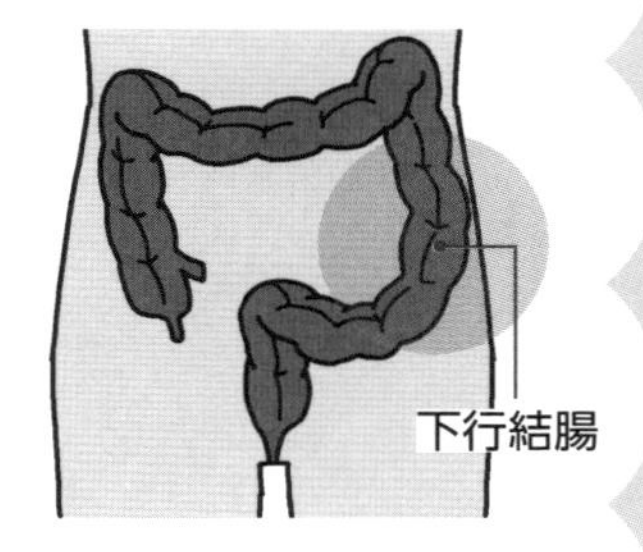

腹部の左側にある下行結腸を揺らします。どこにねじれがあるかわからないので、全体を丹念に揺らします。

2 上から下へトントンする

両手の指をピンと伸ばし、右の指先をおへその左下、左の指先をわき腹に当てます。そして、下行結腸を左右から揺らすイメージで、左右交互に軽くおなかを押しながら少しずつ下にいきます。

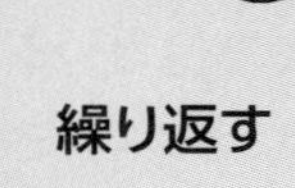

3 下から上へトントンする

左手が骨盤に当たったら、そのまま上へ同じようにマッサージします。

マッサージ❸ 下腹部トントンマッサージ

1 あお向けになる

マッサージ❷と同じ要領で、あお向けになります。

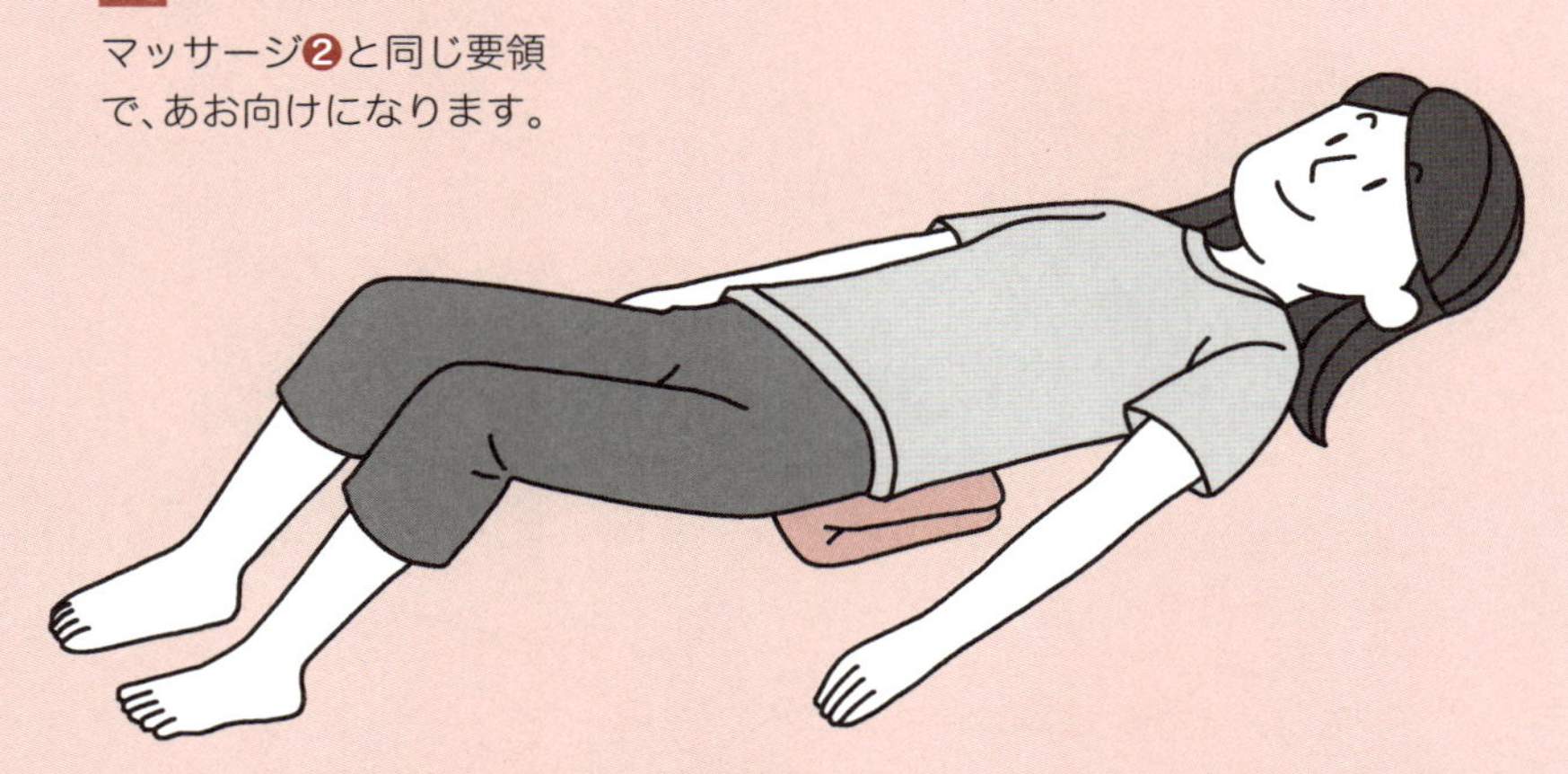

お風呂でやるのもオススメ

マッサージ❷、❸、❹は、入浴中に行うのもよいでしょう。お風呂の中では浮力がかかって腸が重力の影響を受けませんし、体がリラックスして腹筋もゆるんでいるので、効果が出やすくなります。

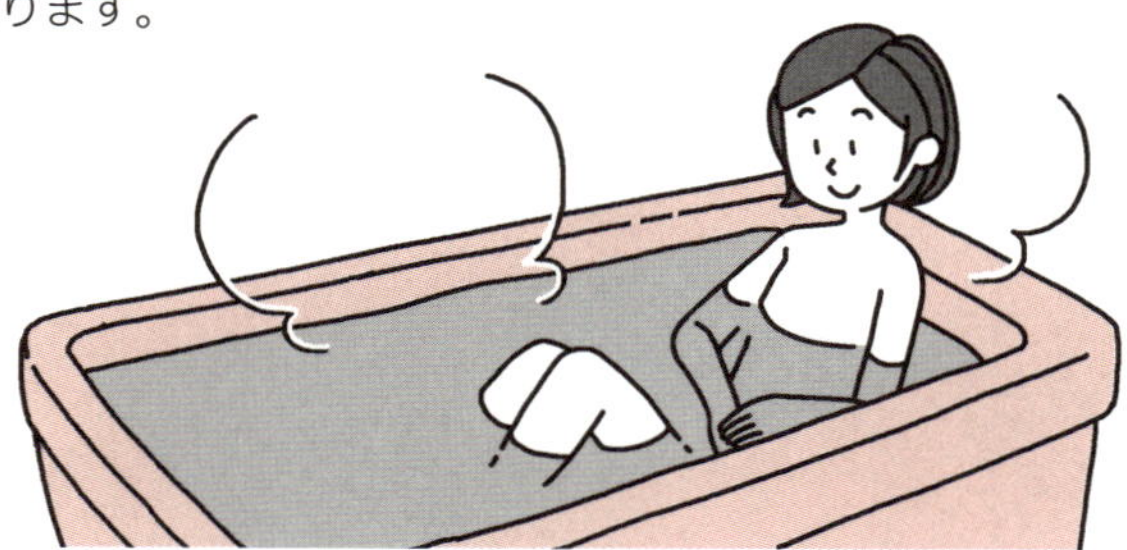

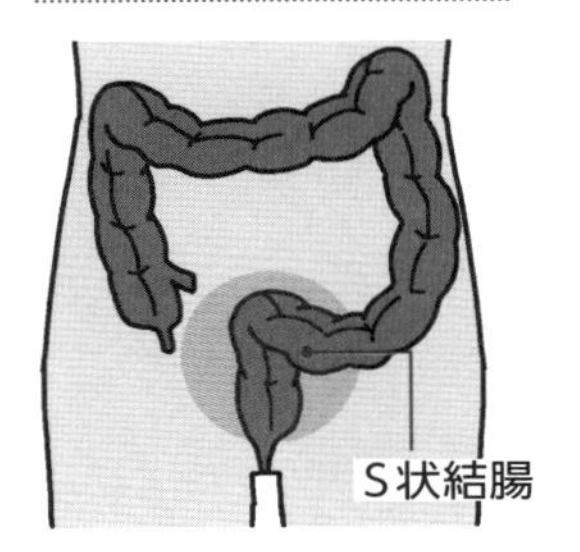

便が直腸に入る前の最後の難関です。おへその下から恥骨のきわまで、S状結腸全体をていねいに揺らしましょう。

2 上から押していく

両手の指をピンと伸ばします。そして、おへそを中心に左右5㎝ずつ離して指先をおなかに当てて、左右交互に軽く押しながら、少しずつ下にいきます。

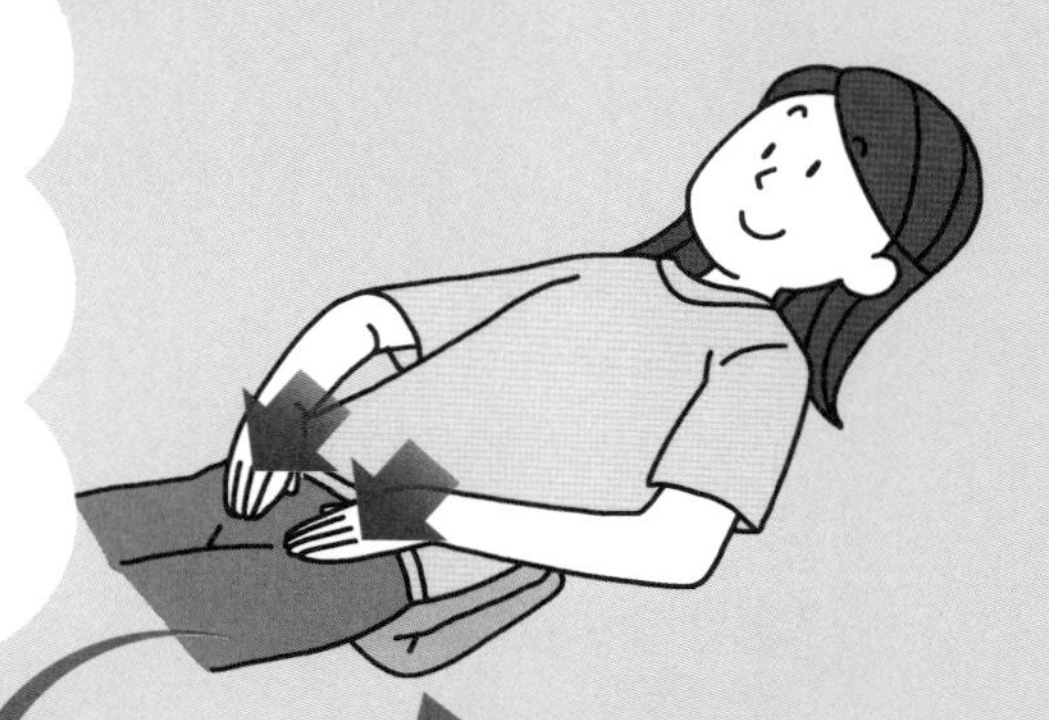

2と3を
1分間繰り返す

3 下から上に戻る

指が恥骨に触れたら、同じように左右交互に押しながら、上に戻っていきます。

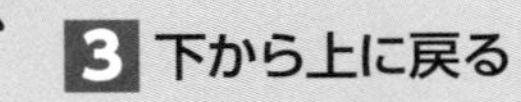

マッサージ❹
大腸押し上げマッサージ

1 あお向けになる

マッサージ❷と同じ要領で、あお向けになります。

2 脚のつけ根に両手を当て、軽く押す

恥骨のすぐ上、左右の足のつけ根に両手を当てます。おなかが少しへこむくらいの力で、指先を立てて両手を揃え、おなかを持ち上げるように揺らしておへその下まで移動します。大腸をユサユサ揺らしながら押し上げるイメージで。

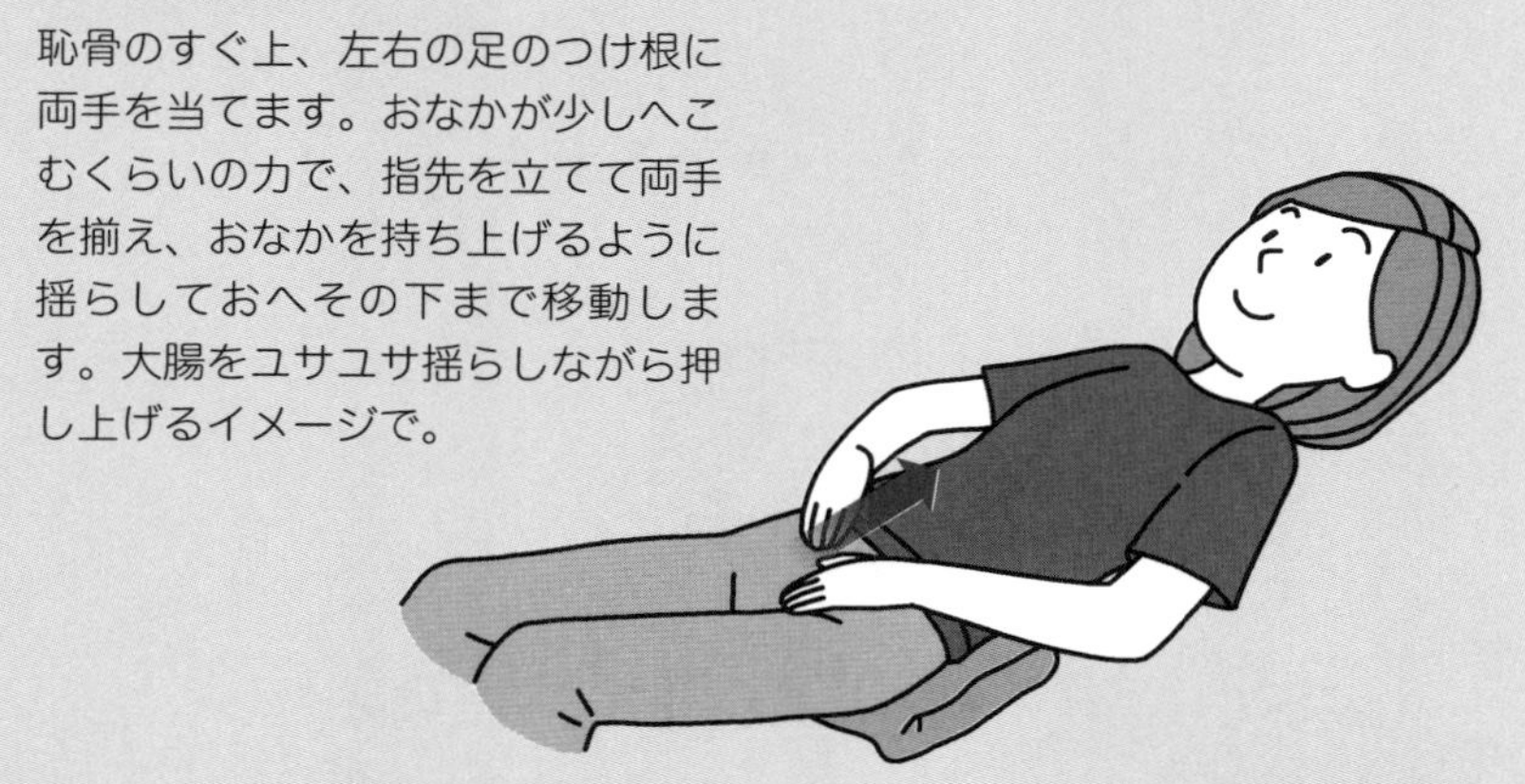

ここをマッサージ

大腸全体を持ち上げて揺らす

特に落下腸では大腸全体が骨盤内に落ち込んでいます。

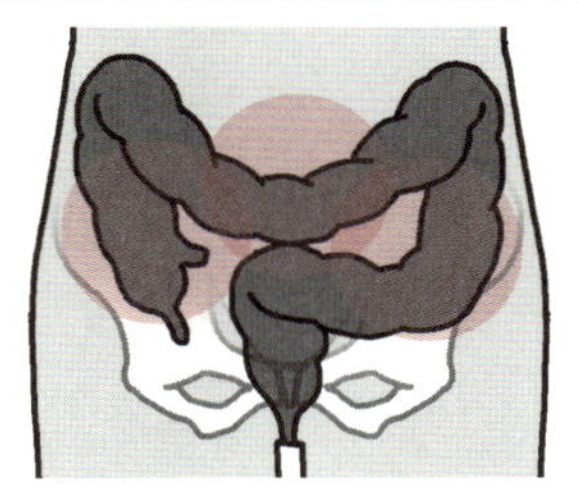

骨盤内に落ち込んだ大腸を持ち上げて揺らすイメージで。恥骨のきわから持ち上げるように揺らしましょう。

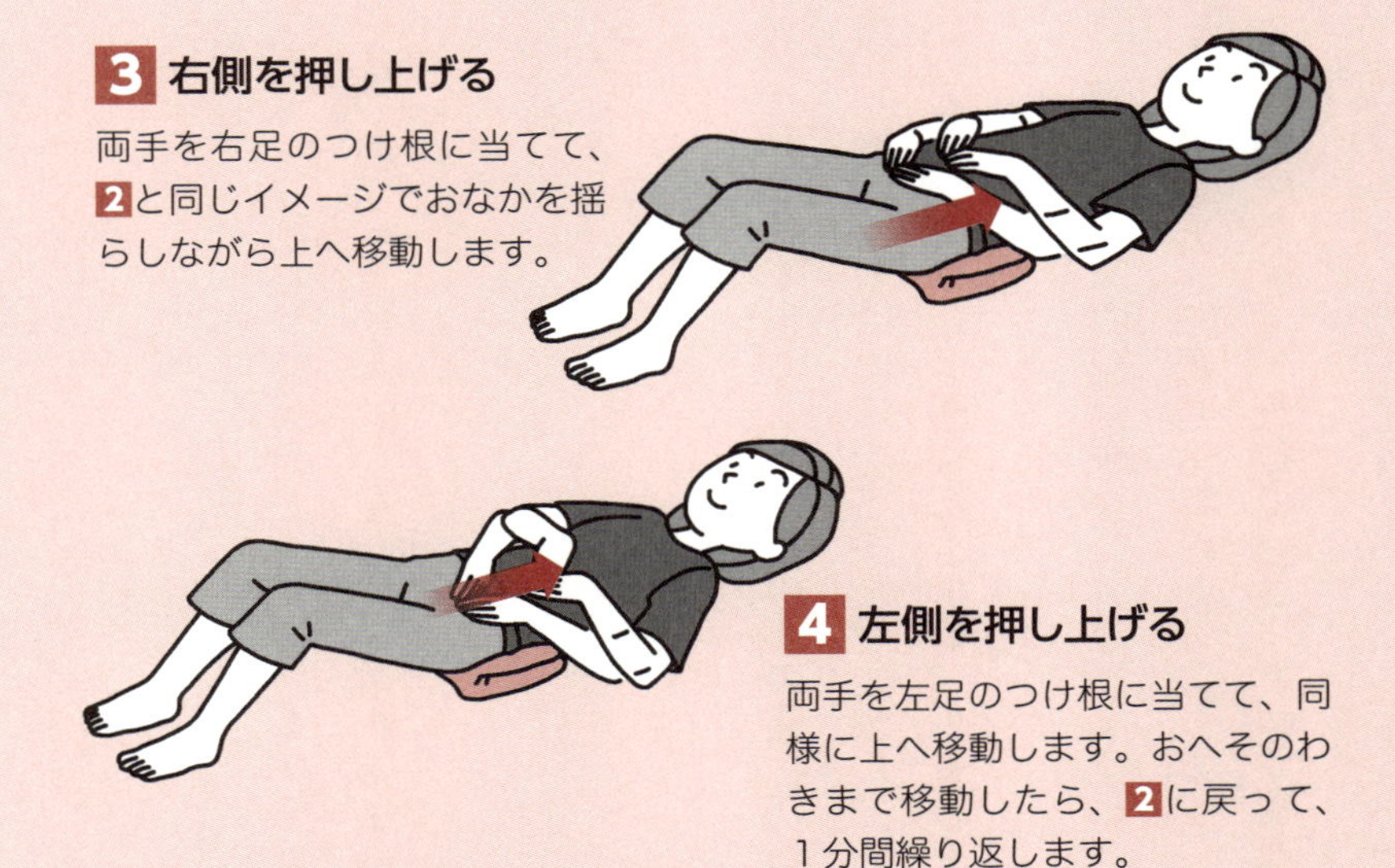

3 右側を押し上げる

両手を右足のつけ根に当てて、2と同じイメージでおなかを揺らしながら上へ移動します。

4 左側を押し上げる

両手を左足のつけ根に当てて、同様に上へ移動します。おへそのわきまで移動したら、2に戻って、1分間繰り返します。

「のの字マッサージ」について

昔から便秘にのの字マッサージがよいと言われていました。ただ考えてみてください、そもそも日本人の大腸は「のの字」ではありません。そして折れ曲がったチューブをしごいても中身は出てこないでしょう。外来には「のの字マッサージ」をしている患者さんもよくいらっしゃいますが、実際のところ効果はほとんどないようです。

●「ラジオ体操」から運動を始めよう

第2章で、日本人のおよそ8割の人は、ねじれ腸や落下腸などの大腸の形の変化があると説明しましたが、では、8割の人がねじれ腸や落下腸によるＩＢＳや便秘で悩んでいるかというとけっしてそんなことはありません。ねじれ腸・落下腸があっても、ＩＢＳや便秘になる人とならない人がいるのです。そのちがいはどこにあるのでしょうか。

もちろん、ねじれの程度も関係するでしょう。しかし、内視鏡検査で「これはひどいねじれ腸だな」という人でも、便秘で悩んだことはないという場合もしばしばあります。そういった人の話を聞いてみると、そこには「日常的にスポーツをしている」という共通点

体操をするほか、大きく手を振って体をひねりながら歩くなど、日常生活全体で体を動かす量を増やそう

がありました。

運動で体を動かす際に大腸も揺らされていて、便通がよくなっているようなのです。以前そういった人のポリープを治療して安静を指示したら、便秘になってびっくりして病院にいらしたことがありました。そして安静を解除したら便秘はすみやかに治りました。こうした人たちは、いわば運動がマッサージの代わりになっているといえるでしょう。

腸管形態型ＩＢＳの患者さんでは、運動をすれば便通が促されます。ただ、運動なら何でもよいわけではなく、おなかをひねる動きのある運動でないと、あまり効果がありません。種目でいうと、テニス、ゴルフなどが有効なようです。ヨガやピラティスなどもよいですし、落下腸の人にはフラダンスやベリーダンスが有効なようです。すなわち体をひねる・揺らす運動がよいようです。

ところが、こうしたスポーツはいきなり始めるのはちょっとハードルが高いという難点があります。長年便秘や下痢などの症状に悩んでいると、どうしても生活が不活発になりがちで、運動を始めること自体、敷居が高いという人が少なくありません。

手軽に取り組めて人気があるウオーキングは、すぐれた有酸素運動で健康にはよいですし、患者さんの多くはすでに実行していますが、体をひねる動きがないため「大腸を揺らす」という点では、残念ながら効き目は薄いのです。

そこで、私が患者さんにおすすめしているのが「ラジオ体操」です。だれもが一度はやったことがある、あの体操です。

なかには「ラジオ体操なんて効くんですか?」という人もいますが、あなどるなかれ。おなかをひねる運動はもちろん、全身をバランスよく動かすことができ、数分の短い間でも、きっちり行うとそれなりの運動量になります。

しかも、ラジオ体操は室内でも行えます。雨の日はもちろん、夏、暑くて外に出たくないという日でもできます。時間を決めてやるもよし、録画・録音しておいて、時間のある時にやるもよし。自分の生活スタイルに合わせて無理なく続けられます。

今まで運動習慣のなかった人が、いきなりハードな運動をしようとしても長続きしにくいうえに、けがの危険があります。まずはラジオ体操から取り組み、体を動かす楽しさ、気持ちよさが感じられるようになればしめたものです。日常生活全体で運動量を上げていきましょう。172ページで動画サイトを紹介している「おなかにいいリズム体操」もおすすめです。

運動はストレス解消の効果も期待できますから、ぜひ気長に取り組んでいただきたいと思います。

ストレスをためない心をつくる

IBSに限らず、ストレスはすべての病気に悪影響を及ぼします。

もちろん、減らせるストレスは減らすべきですが、どうしようもないストレスのほうが多いのではないでしょうか。そこで、ストレスとうまく付き合うためには、ストレスを減らそうとするだけではなく、ストレスを感じてもそれを引きずらないようにして、「ストレスをためない」ことが重要になってきます。

ストレスをためずに解消するのには、いろいろな方法があります。第一に、IBSの患者さんの場合、繰り返しになりますが「治ると知っておくこと」が大切です。治ると思うだけで、ストレスが軽くなるものです。

また、「悩みをだれかに話す」のもよいでしょう。仕事や人間関係の悩みはもちろん、症状について困っていることも、自分だけで抱え込まずに信頼できる人に話してみましょう。「トイレのことだから」とはばかる人もいるかもしれませんが、それがいちばんの悩みなら、だれかに聞いてもらうだけでも気が楽になります。

ストレス型ＩＢＳでは、気にすれば気にするほど症状が悪化します。気にすることが改善につながるどころか、悪くなる最大の要因であることを理解して、できることをやってあとは割り切ることがとても大切です。

趣味をもったり、興味のあることに打ち込むのも大切です。自分の好きなことをしているときはストレスを感じなくて済むだけではなく、充実感や達成感、満足感といったプラスの感情が生まれ、気持ちが前向きになります。

体のリラックスを心がけよう

日常生活で私たちはいろいろなストレスにさらされています。一方でリラックスする時間が取れていて、緊張状態とのバランスが取れていればよいのですが、ストレスを感じる時間が長くなると、心だけではなく体にも影響が及びます。

私たちはストレスを感じると、ストレスに対抗するために体が反応し、心拍数や血圧が高くなります。これはストレスを感じたときの意識や感情といった反応とは別に、自律神経によって自然に起こる反応で、コントロールできません。長い時間ストレスにさらされていると、体にさまざまな影響が及ぼされるのは、この自律神経系の反応が起こるためです。

一般に「ストレス解消」というと、前述したような気持ちのストレス解消を指すことが多いでしょう。心にかかるストレスが減れば、それだけ体への影響は少なくなります。しかし、心にかかるストレス解消は完全にはむずかしい場合が少なくありません。

そこで、私は、体をストレスによる緊張状態から解放することで、心もリラックスした状態に導く「自律訓練法」をおすすめしています。一日に一回でもゆっくりとした時間をつくり、体と心をリラックスさせましょう。

自律訓練法は、一種の自己暗示によるリラクゼーションです。ポイントは、「手足が重たい」「手足が温かい」といったときに、手を重くしようとしたり、温めようとしないこと。あくまでも、重く「感じる」温かく「感じる」ようになるのを待ちます。自分が体に働きかけるのではなく、受け身になるわけです。

自律訓練法

1 準備を整える

できるだけ、静かで気持ちを落ち着かせられる場所で行います。体を締めつけるもの・気が散る原因となるものを取り除き、体も心もリラックスできる状態にしておきましょう。

2 姿勢を決める

座っても、横になってもかまいません。自分がよりリラックスできるほうを選びます。

▶座るときは

いすに深く腰掛け、背中は軽く背もたれにあずけます。いすにもたれすぎたり、逆に腰をそらしたりしないように注意しましょう。

▶横になるときは

あお向けになって腰から力を抜き、背中ができるだけ床につくようにします。

3 ゆっくり呼吸しながら気持ちを落ち着かせる

目を閉じて、ゆっくりと深い呼吸を繰り返します。気持ちが落ち着いてきたら、心の中で「気持ちが落ち着いている」と数回唱えます。

4 手足の重さを感じる

右手に意識を向け、「右手が重い」と心の中で唱えます。次に、「左手が重たい」「右足が重たい」「左足が重たい」と同じように順番に進みます。力を込めて重くするのはＮＧ。十分にリラックスすると、自然と「重たい」と感じられます。

5 手足の温かさを感じる

４と同じように、「右手が温かい」「左手が温かい」「右足が温かい」「左足が温かい」と順に唱えます。リラックスすると手足が温かく感じられるようになります。

6 消去動作を行う

急に立ち上がるとふらついたりする危険があります。必ず、動き出す前に消去動作を行います。ただし睡眠前なら、消去動作をせずにそのまま眠ってかまいません。

消去動作

両手を開いたり閉じたりします。
伸びをしたり、腕の曲げ伸ばしをします。
深呼吸をします。

最初はなかなかうまくいかないかもしれませんが、繰り返していくと、心拍数、血圧が下がり、呼吸がおだやかになったり、皮膚温度が上昇したりと、体の緊張がゆるんだ状態を実感できるようになります。なお、ここで紹介したのは自律訓練法の一部です。正式には、「手足が重たい」「手足が温かい」「心臓が静かに動いている」「呼吸が楽になっている」「おなかが温かい」「額が涼しい」という6つのステップ（自律訓練法では公式と言います）があり、すべて行うとより深くリラックスできますが、一般的には160〜161ページの動作で十分な効果が得られるはずです。

自律訓練法は一日に2〜3回行うのが理想的です。ただし、あまりこだわりすぎず、一日1回でも、できるときに無理なく取り組みましょう。

●食生活を見直す

私たちの便は、私たちが食べたものでできています。ＩＢＳや便秘などの便のトラブル対処には食生活を見直すことも必要です。

ただしＩＢＳや便秘に悩む人のなかには、特定の食材が便秘に効くとなると、そればかり食べるなど、便秘解消のために結果的に食生活が偏ってしまっている人が少なくありません。もちろん、便秘に良い食事、下痢に良い食事はあり、下痢の人にとって便秘に良い食事は適さないわけですが、ＩＢＳは食べ物だけが原因で起こる病気ではありません。排便のリズムも含めて、健康的な体のサイクルを支えるのは、バランスのとれた食生活です。糖質、脂質、たんぱく質のバランスのとれた食事になっているかどうかを、まず見直してみましょう。

気にしなさすぎで不摂生を重ねるのはよくありませんが、気にしすぎて食事の楽しみを失うのはストレスの元。好きなものを適度に楽しんでください。

オリゴ糖を食事にプラス

便秘がちな患者さんは、オリゴ糖を調理に使うとよいでしょう（オリゴ糖については123ページ参照）。薬局やドラッグストアなどで市販されているオリゴ糖を、砂糖の代わりとして、一日小さじ1～2杯とるようにします。また、オリゴ糖を使用したお菓子などは手軽に取り入れられるでしょう。

ただし、砂糖などに比べてカロリーは低いものの、糖尿病などで糖分を制限しなければならない人は注意してください。

食物繊維は不足よりも過剰に注意

便通をよくする、というと食物繊維を思い浮かべる人が多いでしょう。たしかに、食事からとる食物繊維が一日5グラムを下回ると、便秘のリスクが約2・5倍にはね上がります。食物繊維が極端に不足するのはよくありませんが、一方で取りすぎるとガスの原因になったり、便のカサが増して、大腸で引っかかりやすくなり、かえって便秘を招きます。

食生活が極端に偏っていて食物繊維が不足している場合は、食物繊維を多く含む野菜類をとるなどの改善が必要ですが、ＩＢＳをはじめとする胃腸の不調で悩んでいる患者さんのほとんどは、そのような極端に偏った食生活になっているのはまれ。むしろ、便秘の患者さんなどではとりすぎになっているほうが多いくらいです。

食物繊維の一日の摂取量の目標は20グラムです。これ以上だととりすぎになる恐れがあるので、注意しましょう。

166ページに、食物繊維を多く含む食品のリストを紹介します。食物繊維は、野菜だけでなく、海藻類、キノコ類のほか、果物などにも含まれます。とりすぎになっていないかも含め、食事全体でバランスよくとり入れているか、一度見直してみましょう。

水に溶ける繊維と溶けない繊維がある

食物繊維について、もう一つ知っておきたいのが、食物繊維には2つの種類があるということです。

一つは、不溶性の食物繊維で、その名のとおり水に溶けません。植物の細胞壁をつくっている成分で、いわゆる「スジ」の部分に多く含まれます。

もう一つは、水溶性の食物繊維で、主に植物の細胞の中に含まれる成分です。

不溶性の食物繊維は、便のカサを増すほか、腸壁を刺激してぜん動運動を促すなどの働きがあります。一方、水溶性の食物繊維は、水に溶けるとドロドロになってゲル状になり、水分をキープする働きがあります。そのため、固くなった便に水分を呼び込み、排出しやすくなる効果があります。

水溶性の食物繊維は不溶性の食物繊維とちがって、便のカサをさほど増すことなく排便を促すので、便秘の患者さんにおすすめしたいところなのですが、残念ながら水溶性の食物繊維が多い食べ物は、不溶性の食物繊維も多く含んでいます。植物の細胞の壁と中身ですから、当然なのですが、やはり、ほどほどがよいということです。

食物繊維を多く含む食品

それぞれの食品の、可食部100g中に含まれる「水溶性食物繊維」と「不溶性食物繊維」を示してあります。なお、海藻類は、食物繊維の総量のみの表示です。

		水溶性	不溶性
主食	玄米	0.7 g	2.3 g
	胚芽米	0.3 g	1.0 g
	ゆでそば（乾燥めん）	0.5 g	1.0 g
	スパゲッティ（ゆで）	0.5 g	1.2 g
	ライ麦パン	2.0 g	3.6 g

毎日食べるものなので、アレンジを加えて調整しよう。

白米を玄米に替える

白米では、水溶性食物繊維は微量しか含まれません。

押し麦を加える

押し麦は 10 g中に水溶性0.6g、不溶性 3.6 gも食物繊維を含んでいます。

ライ麦パン・全粒粉パンを選ぶ

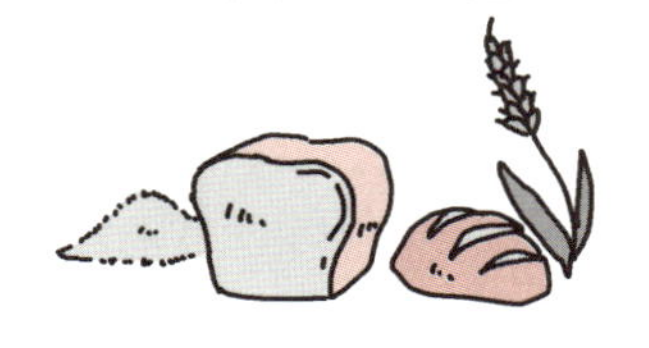

一般の食パンに含まれる食物繊維は、水溶性 0.4 g、不溶性 1.9 gと少なめ。

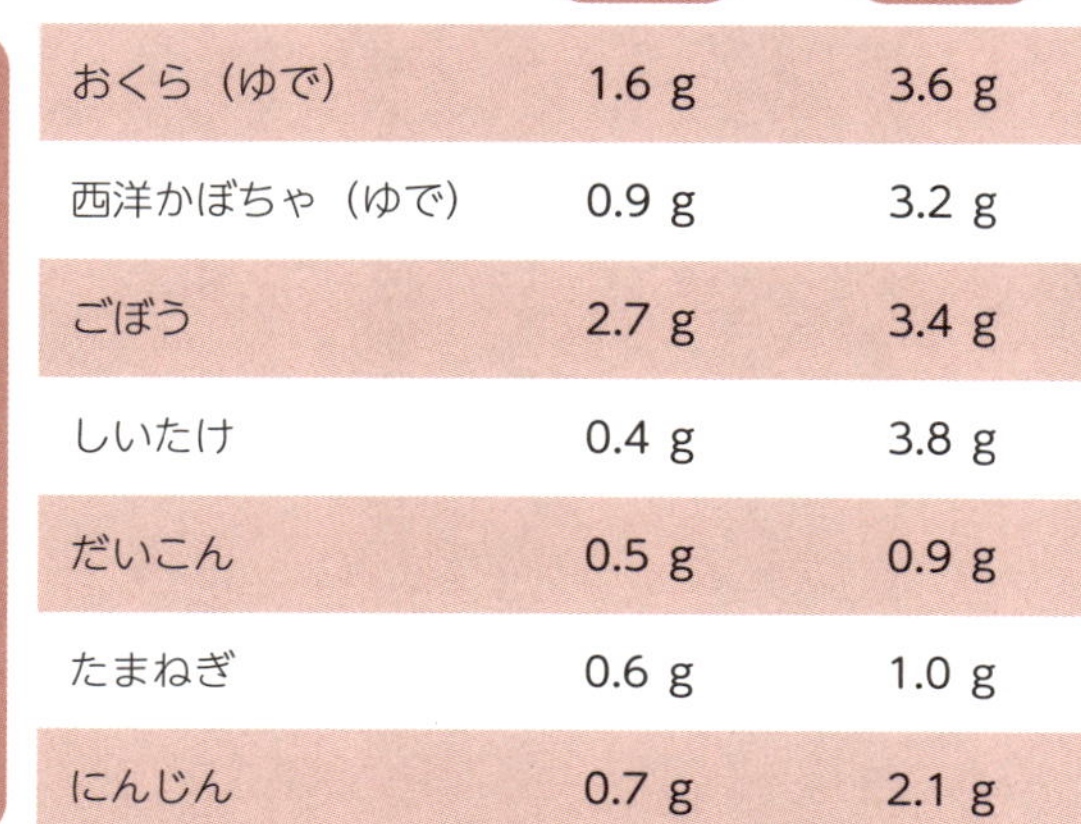

		水溶性	不溶性
野菜類	おくら（ゆで）	1.6 g	3.6 g
	西洋かぼちゃ（ゆで）	0.9 g	3.2 g
	ごぼう	2.7 g	3.4 g
	しいたけ	0.4 g	3.8 g
	だいこん	0.5 g	0.9 g
	たまねぎ	0.6 g	1.0 g
	にんじん	0.7 g	2.1 g

野菜は食物繊維が豊富。全身の健康のためにも不足に注意。

（七訂食品成分表による）

豆類（加工品含む）	水溶性	不溶性
あん（こしあん）	0.3 g	6.5 g
えだまめ（ゆで）	0.5 g	4.1 g
おから	0.4 g	11.1 g
きな粉	2.7 g	15.4 g
納豆	2.3 g	4.4 g

納豆は、食物繊維が豊富。手軽にとれる。

海藻類（加工品含む）	総量
とろろ昆布	28.2 g
のり	36.0 g
ひじき（ゆで）	3.7 g
もずく	1.4 g
わかめ（もどしたもの）	5.8 g

のりやとろろ昆布をトッピングして、食物繊維も上乗せに。

いも類	水溶性	不溶性
板こんにゃく	0.1 g	2.1 g
さつまいも	0.6 g	1.6 g
さといも（ゆで）	0.9 g	1.5 g
じゃがいも（生）	0.6 g	0.7 g
やまいも	0.7 g	1.8 g

とりすぎるとおなかが張る場合も。適量をおいしく食べよう。

また、食物繊維のとり方で悩みを増やすようであれば、難消化性デキストリンなどのサプリメントを活用することも一つの考え方です。オリゴ糖同様安価に導入できます。

ある特定の食品を除去するFODMAP制限療法が注目を集めているが……

食事の改善というと、便秘対策がほとんどですが、最近、特定の食品を制限して下痢を改善させる「FODMAP制限療法」が欧米で注目されるようになり、日本でも知られるようになってきました。

FODMAPとは、「発酵性の、オリゴ糖、二糖類、単糖類、ポリオール」のことです。やや専門的になりますが、これらの成分はどれも糖類（炭水化物）で、いろいろな食品に含まれています。FODMAP制限療法は、これらの成分を特にたくさん含む食品を制限する治療法で、自宅でも取り組めるため、試している人が多いようです。

ここで、かんたんにFODMAP制限療法について説明しておきましょう。

便秘に効く食品が、人によっては効きすぎて下痢をまねくことも

オリゴ糖はヒトの小腸では吸収されず、排便を促す作用があることはすでに説明しまし

た。ＦＯＤＭＡＰの仲間である二糖類、単糖類、ポリオールも、人によってはオリゴ糖と同じように、小腸では吸収されにくく、大腸まで届きます。そして、大腸の中で発酵してガスを発生させたり、便の中にたくさんの水を呼び込むために、おなかの張りや下痢などの症状を引き起こす場合があります。

そこで、ＦＯＤＭＡＰ制限療法では、ＦＯＤＭＡＰをたくさん含む食品を制限し、下痢や膨満感といった症状をなくすことを目指します。

ＦＯＤＭＡＰは、次のような食品に多く含まれています。

●野菜

アスパラガス、カリフラワー、キノコ類、キャベツ、大豆、玉ねぎ、にんにくなど

●果物

さくらんぼ、すいか、なし、プラム、マンゴー、もも、りんご、ドライフルーツ（プルーン、レーズンなど）、缶詰の果物など

●小麦製品

クッキー、ケーキ、パン、めん類など

● **乳製品**

牛乳、チーズ、生クリーム、ヨーグルトなど

● **加工食品に含まれる成分**

キシリトール、ソルビトール、マンニトール、イソマルト、マルチトール、果糖ブドウ糖液糖・ブドウ糖果糖液糖など

これらの食品すべてを除去して、症状が改善するかどうかを見て、改善するなら、ひとつずつ摂取する食品を増やして問題のある食品を探します。問題となる食品が見つかったら、今度はとらないようにします。

私は、原因となる食品を見極めるためには、腸管内容が入れ替わる2~3日程度でよいと考えています。除去してみても症状が改善しなければ、それが原因ではないので、気にせずふだんどおりの食事を楽しんでかまわないと思います。

実際には、食事制限が必要な患者さんは多くない

私が診療している久里浜医療センターでは今のところ(2024年4月現在)、食事制

限が必要なのは、下痢型IBS患者さんの約5％程度、ガスで困っている方の約10％程度です。

むしろ、それまで厳しい食事制限を行っていた患者さんはたくさんいますが、ほとんどはIBSの消化吸収不良型以外の3つの病態に対する治療でよくなって、食事療法は必要ではなくなることがほとんどです。

特定の食品を毎日の食事から除去する、と言うのは簡単ですが、料理をつくるときに加工食品を使えなかったり、材料が特定できない外食はできなくなるなど、いざ実行しようとするとなかなかたいへんです。

食べられるものが少なくなるだけでも不便なのに、好物が食べられなくなったら、食事の楽しみが大きく損なわれてしまいます。

私は、FODMAP制限療法を試してみたいという患者さんには、「まず自宅で2〜3日試してみて、効果がなければFODMAPが原因ではないので、気にせずに食事を楽しんでください」とお伝えしています。

ちなみに、FODMAP制限療法はオーストラリアで生まれた治療法です。日本人と欧米人では腸の形もちがいますし、体質もかなり異なります。こうしたちがいがその効果に影響しているのかもしれません。

食事の改善は体の声を聞きながら

食事を楽しむことは、人生のなかでも大きな楽しみです。もし、明らかに「これを食べるとおなかが下る、便秘になる」という原因があれば、当然、それは除去したほうがよいのですが、食事に原因がなければ、IBSでは基本的に食事制限は必要ありません。

もちろん、食事に気を配ることは大切です。しかし、それは必ずしも「制限療法」のような極端な形でなくても可能かもしれません。

「体の声に耳をすます」ようにすると、不必要にがんばりすぎずに済み、適切な方法が見つけられるでしょう。

楽しく、楽してIBSと付き合いましょう！

こちらもおすすめ

おなかにいいリズム体操

トイレ研究所プロデュース

筆者が監修し、東京女子体育大学　秋山エリカ先生に作っていただいたおなかにいい体操を紹介する動画です。立って行う立位編と座って行う座位編があります。

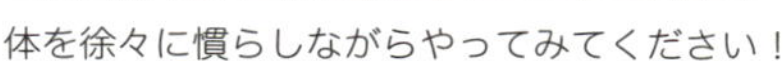

久里浜医療センターの取り組み（抜粋）

●学会発表・講演

2013 Oct 21th United European Gastroenterology Week Berlin Mizukami T, Suzuki H, HIbi T.
COLONOSCOPIC FEATURE OF 293 IRRITABLE BOWEL SYNDROME (IBS) PATIENTS IN JAPAN

第17回神経消化器病学会合同集会
合同シンポジウム1　脳腸相関から見た機能性消化管障害の病態
「「内視鏡で可視化される脳腸相関」から見たIBSの病態 －胆汁酸吸収不良（BAM）を含め－」

2015年度日本消化器関連学会週間（JDDW 2015）東京 10月8日～11日
サテライトシンポジウム66　IBS治療の最前線 「画像を用いたIBSの病態把握と治療 選択」
ワークショップ12　消化器疾患と胆汁酸 「当院における胆汁酸吸収不良（BAM）が疑 われるIBSの診断と治療」

第100回消化器病学会総会
パネルディスカッション6　IBS病態研究の進歩と本邦における臨床実態
「大腸画像検査を活用した機能性腸障害の診断と治療 －病態説明と治療選択ツールとして－」

●論文など

Mizukami T et al. Collapse-submergence method: simple colonoscopic technique combining water infusion with complete air removal from the rectosigmoid colon. Dig Endosc 2007; 19: 43-47.

Mizukami T, Sugimoto S, Masaoka T et.al. Colonic dysmotility and morphological abnormality frequently detected in Japanese patients with irritable bowel syndrome Intestinal Research 2017; 15(2): 236-243.

水上 健，杉本 真也【総説 浸水法を用いた大腸内視鏡検査の開発と応用】
日本消化器内視鏡学会雑誌 2023; 65(1):19-28.

水上 健【慢性便秘症の治療 －腹部X線を用いて－】
日本消化器病学会雑誌 2023; 120(3)：239-249.

水上 健【苦痛のない大腸内視鏡挿入法 －達人の極意－】
苦痛のない大腸内視鏡挿入法　敵を知り己を知れば百戦危うからず 消化器の臨床 2014; 17(2): 151-157.

水上 健【CT colonographyの現状と将来】
CT colonographyを用いたIBSの診断 臨床消化器内科 2014；29(10): 1371-1378.

水上 健【過敏性腸症候群の病態と診療】
大腸画像検査を応用した過敏性腸症候群の診断と治療 消化器内科 2014; 59(3): 219-225.

おわりに

ＩＢＳの患者さんと外来でお会いしていると、最初は重くしずんだ表情でいらっしゃるのが、治療が進むと徐々に表情は明るくなり、診療室の雰囲気が一変します。「この方はこんな明るい人柄だったのか」と驚くほど雰囲気が変わる人も少なくありません。

そのたびに、私はおなかの問題が日常生活に及ぼす影響の大きさを実感します。

おなかが痛くて、下痢や便秘があると、社会生活がとても大変です。仕事をしている人なら、仕事上の会食や接待はもちろん、出張、社員旅行などで大変な不便を強いられます。外回りの営業では、仕事どころではないこともあるでしょう。

学生でも、修学旅行や部活動の合宿への参加ができなかったり、授業中にも教室を出ていかないとならないこともあります。

そしてさらに大変なのが、プライベートの日常生活です。

友だちや家族と外食や旅行に行けない。会話中に席をたってトイレに駆け込む。さまざまな場面で支障が出て、人間関係に影響が及んでしまうことさえもあるでしょう。

ただ、本書で示したようにIBSは腹部エックス線検査や問診でもわかるおなかの「体質」です。そして現在、そのおなかの「体質」に合った特効薬や有効な治療法があります。自宅でできる有効な改善策すらあるのです。

IBSはもはやがまんしたり、苦労したりして治す病気ではありません。おなかの「体質」を理解して、おなかの「体質」とうまく付き合えば必ずや楽しい日々を取り戻すことができるはずです。おなかの「体質」と付き合うことは、決してむずかしいことではありません。

この本が、IBSで苦労している人のおなか問題を解決する一助になれば、これほどうれしいことはありません。

独立行政法人国立病院機構　久里浜医療センター
水上　健

■著者
水上　健（みずかみ・たけし）
国立病院機構 久里浜医療センター 内視鏡部長 医学博士
1965年福岡県生まれ。1984年筑波大学附属駒場高校、1990年慶應義塾大学医学部卒業。専門は大腸内視鏡検査・治療、過敏性腸症候群(IBS)・便秘の診断・治療。横浜市立市民病院内視鏡センター長、Heidelberg大学Salem Medical Center客員教授などを経て、現職、慶應義塾大学病院IBS便秘外来担当。慢性便秘症診療ガイドライン2017作成委員。自身が開発した無麻酔大腸内視鏡挿入法「浸水法」は国内外のRCTで評価され広く導入されている。近年ではこれを活用して、便秘やIBSの原因（腸の動き・「ねじれ腸」「落下腸」）を診断・治療する方法を発表。新聞・雑誌掲載、TV・ラジオ出演多数。葉山在住。

改訂新版
IBS（過敏性腸症候群）を治す本

2024年8月22日　第1刷発行

著　　者　水上　健
発 行 者　東島俊一
発 行 所　株式会社 法研
〒104-8104　東京都中央区銀座1-10-1
http://www.sociohealth.co.jp
印刷・製本　研友社印刷株式会社

0101

小社は㈱法研を核に「SOCIO HEALTH GROUP」を構成し、相互のネットワークにより、〝社会保障及び健康に関する情報の社会的価値創造〟を事業領域としています。その一環としての小社の出版事業にご注目ください。

©Takeshi Mizukami 2024 printed in Japan
ISBN 978-4-86756-187-4 C0077　定価はカバーに表示してあります。
乱丁本・落丁本は小社出版事業課あてにお送りください。
送料小社負担にてお取り替えいたします。

JCOPY〈出版者著作権管理機構 委託出版物〉
本書の無断複製は著作権法上での例外を除き禁じられています。複製される場合は、そのつど事前に、出版者著作権管理機構(電話03-5244-5088、FAX 03-5244-5089、e-mail: info@jcopy.or.jp)の許諾を得てください。